Zucker Artistik

Sugar Art

Arts du sucre

Arte dello Zucchero

Zucker

Sugar Art

Arts du sucre

Arte dello Zucchero

FABILO
EDITION

& OTHMAR FASSBIND

Artistik

**Das grosse Lehrbuch
der Zuckerartistik
für Fortgeschrittene**

**The Complete Manual
to Sugar Art for
Advanced Students**

**Le grand manuel
des arts du sucre
pour avancés**

**Il grande manuale
dell'Arte dello
Zucchero per non
principianti**

IMPRESSUM
IMPRINT
IMPRESSUM
COLOFONE

Herausgeber/Publishers/Publié par/Pubblicato da
© Copyright 1997 by:

FABILO EDITION
Louise & Othmar Fassbind
Sonnenrain 2
CH-6221 Rickenbach-Luzern
Switzerland
Tel. (41-41) 930 15 75
Fax (41-41) 930 36 63
Internet: http://www.fabilo.ch
E-MAIL: fassbind@fabilo.ch

*Konzept & Realisation/Designed and produced by/Concept
et réalisation/Concezione & realizzazione*
LOUISE & OTHMAR FASSBIND

Buchdesign/Book designer/Design/Design
HANNES OPITZ, DESIGN MÜHLE LUZERN

Illustrationen/Illustrations/Illustrations/Illustrazioni
ROLF EGGER

Filmherstellung/Filmset/Films/Films
SCAN LINE AG

Druck/Printing/Impression/Stampa
WALLIMANN DRUCK AG

Einband/Binding/Reliure/Rilegatura
BUCHBINDEREI BURKHARDT AG

Übersetzungen/Translations/Traductions/Traduzioni

Englisch/English/Anglais/Inglese
JENIFER HORLENT

Französisch/French/Français/Francese
GEORGES BILLIG

Italienisch/Italian/Italien/Italiano
SANDRA ZINDEL

ISBN: 3-9520530-2-3

Printed in Switzerland

INHALT
CONTENTS
SOMMAIRE
SOMMARIO

LEKTION · LESSON **1** LEÇON · LEZIONE

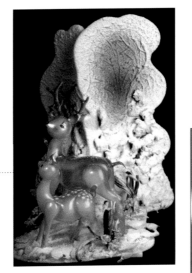

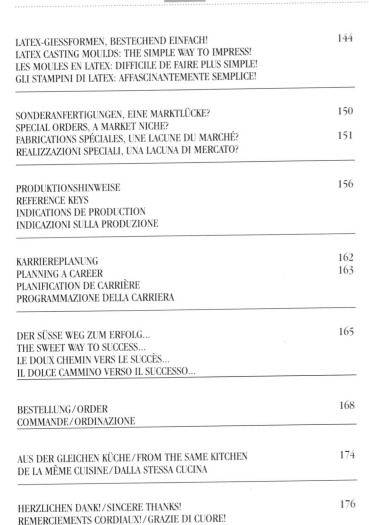

EDITORIAL
EDITORIAL

Die Zuckerartistik ist grossen Wandlungen unterworfen, ihr Bekanntheitsgrad und die Verbreitung haben rasant zugenommen. Während dieses Handwerk vor Jahren noch ein Mauerblümchendasein fristete und oft als brotlose Kunst bezeichnet wurde, hat sie sich heute Anerkennung und Respekt verschafft und ist bei Berufsverbänden und staatlichen Berufsschulen voll integriert.

Diesen grossartigen Erfolg verdanken wir Ihnen. Durch Ihre Treue und Ihr Vertrauen haben Sie uns die Chance gegeben, dass wir uns seit 1991 mit voller Kraft tagtäglich für die Entwicklung der Zuckerartistik einsetzen durften. Aus der Mini-Zuckerschule von damals entwickelte sich eine internationale Berufsfachschule, die den angehenden Zuckerartisten eine prosperierende Zukunft garantiert.

Wir sind uns der grossen Verantwortung bewusst. Nur mit einem soliden Fundament kann dieser junge Beruf langfristig überleben. Mit dieser Motivation verfassten wir unser zweites Werk DAS GROSSE LEHRBUCH DER ZUCKERARTISTIK FÜR FORT-GESCHRITTENE, eine Zusammenstellung von Anforderungen und Kenntnissen, die den Zuckerartisten von morgen prägen wird.

Alle Wege sind frei, Sie entscheiden die Richtung! Wir wünschen Ihnen mit dem vorliegenden Werk viele angenehme Stunden auf dem süssen Weg zum Erfolg!

Louise & Othmar Fassbind

Sugar art is undergoing a transformation in that it is rapidly growing and is beginning to enjoy great popularity. A few years ago this craft was neglected and counted as an unprofitable art. Nowadays, however, it is recognised and respected, and it is fully integrated into professional associations and state trade schools.

This huge success is largely due to you. Your loyalty and your confidence have enabled us to devote all our efforts since 1991 to the development of sugar art. The mini sugar school with which we started has developed into an international professional trade school that can guarantee budding sugar artists a prosperous future.

We are aware of the big responsibility this places on us. This new profession can only survive in the long run if it is based on solid foundations. This was the motivation for writing our second book, THE COMPLETE MANUAL TO SUGAR ART FOR ADVANCED STUDENTS, a summary of the standards and know-how that will be the trademark of tomorrow's sugar artist.

All paths are open and it is for you to decide which path to take! We hope this book will give you many hours of pleasure on the sweet way to success!

Les arts du sucre sont soumis à de grands changements, leur degré de renommée et leur diffusion ont rapidement augmenté. Alors qu'il y a quelques années encore ce métier était discrètement représenté et considéré comme un art sans avenir, il est aujourd'hui reconnu et respecté par les organismes professionnels et les écoles professionnelles étatisées.

C'est à vous que nous devons ce succès extraordinaire. Par votre fidélité et votre confiance, vous nous avez donné l'occasion de nous investir totalement, jour après jour, depuis 1991, afin de développer les arts du sucre. La miniécole d'alors évolua en une école professionnelle internationale qui garantit un avenir prospère aux futurs artistes du sucre.

Nous sommes conscients de notre grande responsabilité. C'est seulement sur une assise solide que cette jeune profession pourra à long terme se maintenir. Avec cette motivation à l'esprit, nous avons rédigé notre deuxième ouvrage, LE GRAND MANUEL DES ARTS DU SUCRE POUR AVANCÉS, un assemblage des exigences et connaissances qui caractériseront l'artiste du sucre de demain.

Toutes les voies sont ouvertes, vous décidez de la direction à prendre. Nous vous souhaitons avec le présent ouvrage de nombreux et agréables moments sur le doux chemin vers le succès!

Louise & Othmar Fassbind

L'Arte dello zucchero è sottoposta a grandi cambiamenti, rendendosi nota e divulgandosi in breve tempo. Malgrado anni fa non ha ricevuto il suo giusto riconoscimento, poiché reputata di poco guadagno, oggi ha guadagnato rispetto e stima e si è integrata pienamente presso le associazioni professionali e presso le scuole professionali statali.

Questo grande successo lo dobbiamo a voi, visto che la vostra fedeltà e la vostra fiducia ci hanno dato la possibilità di impegnarci dal 1991 in poi ogni giorno per lo sviluppo dell'arte dello zucchero. Dalla miniscuola di allora si è evoluta una scuola professionale internazionale che garantisce un futuro di prosperità agli esordienti artisti dello zucchero.

Siamo consapevoli della nostra grande responsabilità. Solo un fondamento solido garantisce a questa giovane professione la sopravvivenza a lungo termine. Questa motivazione ci ha dato l'impulso di edigere il nostro secondo libro, IL GRANDE MANUALE DELL'ARTE DELLO ZUCCHERO PER NON-PRINCIPIANTI, una composizione di esigenze e conoscenze che caratterizzeranno l'artista dello zucchero di domani.

Tutte le vie sono libere, voi deciderete la direzione da prendere! Vi auguriamo con la presente opera tante ore piacevoli sul dolce cammino verso il successo.

Louise & Othmar Fassbind

Louise & Othmar Fassbind

ZUSAMMENFASSUNG: STREIFENARTIG ZIEHEN

Das streifenartig gezogene Band gibt untrüglich Aufschluss darüber, wie gut jemand die Zuckerartistik beherrscht. Je gleichmässiger und feiner die einzelnen Streifen, desto extravaganter präsentiert sich die Arbeit.

Dabei ist auf folgende Punkte zu achten:

- Gleichmässige Temperatur der Zuckermasse
- Gleiche Temperatur der geschnittenen Stangen
- Zügiges Arbeiten
- Nur soviel Zucker ziehen, wie auch anschliessend verarbeitet werden kann

1 Gleichmässige Stangen abschneiden und zusammensetzen. Die Naht immer nach unten auf das Seidenbett legen.

1 Cut off regular strips and place them alongside each other. The joining line should always be placed face-downwards on the silk board.

1 Couper des barres régulières et les assembler. Poser toujours la soudure vers le bas sur le dessus en soie.

1 Tagliare via barre regolari e unirle. Appoggiare la giuntura sempre verso il basso sulla base di seta.

2 Handposition! Nur an den äussersten Enden halten.

2 Hand position! Hold only at the very ends.

2 Position des mains! Ne tenir qu'aux bords extérieurs.

2 Posizione delle mani! Tenere solo ai margini più estremi.

SUMMARY: PULLING A STRIPED BAND

The pulled striped band is a sure measure of the sugar artist's skill. The more evenly pulled and the finer the individual strips, the more sophisticated the creation will appear.

Please observe the following points:

- Even temperature of the sugar mass
- Even temperature of the cut strips
- Rapid working tempo
- Only pull as much sugar as you are able to work with

RÉSUMÉ: TIRAGE À RAYURES

La bande tirée à rayures renseigne sans faute sur le degré de maîtrise des arts du sucre. Plus les différentes rayures sont régulières et fines, plus le travail se présente de façon extravagante.

Pour cela, il faut tenir compte des points suivants:

- température régulière de la masse de sucre
- température régulière des barres coupées
- travail rapide
- tirer seulement le sucre nécessaire à l'emploi ultérieur

RIASSUNTO: STIRAMENTO STRIATO

Il nastro stirato a strisce fornisce la prova infallibile sulla bravura di una persona nell'arte dello zucchero. Più sono regolari e sottili i singoli nastri, più è stravagante il lavoro presentato.

Fate attenzione ai seguenti punti:

- temperatura regolare della massa di zucchero
- temperatura regolare delle bacchette
- lavoro rapido
- tirare solo lo zucchero necessario alla lavorazione successiva

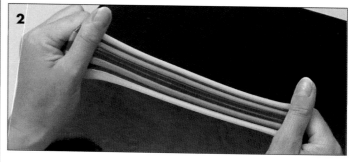

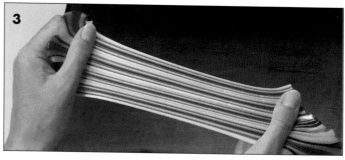

ZUM NACHSCHLAGEN
Diese Technik finden Sie unter Lektion 4, Buch 1, Seite 66 ausführlich Bild für Bild illustriert und erklärt.

FOR REFERENCE
This technique is illustrated and explained step-by-step in lesson 4, book 1, page 66.

POUR CONSULTER
Vous trouvez cette technique à la leçon 4, livre 1, page 66, illustrée et expliquée en détail, image après image.

PER CONSULTARE
Trovate questa tecnica, illustrata e spiegata immagine per immagine, alla lezione 4, libro 1, pagina 66.

3 Je gleichmässiger gezogen, desto effektvoller.

3 The more evenly pulled, the greater the effect.

3 Plus le tirage est régulier, plus l'effet est grand.

3 Più lo stiramento è regolare, più l'effetto è grande.

ZUSAMMENFASSUNG: ZUCKERZIEHEN

Die Ausgangslage für sämtliche Blumen, Blätter, Bänder, Schleifen, Rüschen usw. bildet das gezogene Band. Je flinker gezogen wird, desto mehr Zeit bleibt zum Formen und Biegen des Bandes.

Dabei ist auf folgende Punkte zu achten:

- Gleichmässige Temperatur der Zuckermasse
- Stets scharfe Kante ziehen
- Je grösser und länger das Band, desto mehr Zuckermasse herausziehen
- Geschwindigkeit

SUMMARY: SUGAR PULLING

The pulled band is the basis for all flowers, leaves, bows, frills, etc. The faster you pull, the more time you will have to shape and bend the band.

Please observe the following points:

- Even temperature of the sugar mass
- Always pull a sharp edge
- Pull more sugar mass to obtain a wider or longer band
- Rapid working tempo

RÉSUMÉ: TIRAGE DU SUCRE

La base pour les fleurs, feuilles, bandes, nœuds, ruches, etc., forme la bande tirée. Plus vite on tire, plus il reste de temps pour le formage et le pliage de la bande.

Pour cela, il faut tenir compte des points suivants:

- température régulière de la masse de sucre
- tirer toujours des arêtes aiguës
- plus la bande est grande et longue, plus la masse de sucre tirée est importante
- vitesse

RIASSUNTO: STIRAMENTO DELLO ZUCCHERO

Il nastro tirato è la forma di base per creare fiori, foglie, nastri, fiocchi, gale ecc. Più si tira in fretta, più rimane tempo per formare e curvare il nastro.

Fate attenzione ai seguenti punti:

- temperatura regolare della massa di zucchero
- tirare sempre a spigoli vivi
- per ottenere un nastro grande e lungo, tirate fuori più massa dallo zucchero
- velocità

1 Die aufwärts gestossene Zuckermasse ausgleichen.

1 Push the sugar mass outwards and even out.

1 Egaliser la masse de sucre poussée vers le haut.

1 Pareggiare la massa spinta verso l'alto.

2 Mit Hilfe der Fingernägel eine scharfe Kante ziehen.

2 Form a sharp edge with your finger nails.

2 A l'aide des ongles, tirer une arête aiguë.

2 Tirare uno spigolo vivo con l'aiuto delle unghie.

ZUM NACHSCHLAGEN
Diese Technik finden Sie unter Lektion 5, Buch 1, Seite 70 ausführlich Bild für Bild illustriert und erklärt.

FOR REFERENCE
This technique is illustrated and explained step-by-step in lesson 5, book 1, page 70.

POUR CONSULTER
Vous trouvez cette technique à la leçon 5, livre 1, page 70, illustrée et expliquée en détail, image après image.

PER CONSULTARE
Trovate questa tecnica, illustrata e spiegata immagine per immagine, alla lezione 5, libro 1, pagina 70.

3 Zuerst nach links, dann ruckartig nach rechts drehen.

3 Twist first to the left, then sharply to the right.

3 D'abord vers la gauche, ensuite tourner par saccades vers la droite.

3 Girare prima a sinistra, poi a strappi a destra.

ZUSAMMENFASSUNG: SPITZIGES ZIEHEN

Zur Vollendung eines Blattes gehört eine auslaufende Spitze, die jedoch nicht zwei Millimeter vor dem Abschluss abgebrochen sein darf. Die Technik besteht darin, am richtigen Ort und zum richtigen Zeitpunkt abzukneifen. Nur so entsteht eine perfekte Spitze.

Dabei ist auf folgende Punkte zu achten:

- Gleichmässige Temperatur der Zuckermasse
- Stets scharfe Kante ziehen
- Daumen und Zeigefinger ununterbrochen bewegen
- Für die Spitze beide Daumen und Zeigefinger aneinanderdrücken und abkneifen

SUMMARY: PULLING A POINT

A leaf should taper off into an unbroken point. The secret of obtaining a perfectly pointed leaf lies in snipping off at the right time and place.

Please observe the following points:

- Even temperature of the sugar mass
- Always pull a sharp edge
- Keep your thumbs and index fingers continually in motion
- To form the point, the thumb and index finger on each hand must press together before snipping off

RÉSUMÉ: TIRAGE EN POINTE

Pour l'achèvement d'une feuille, il faut une finition en pointe qui ne doit toutefois pas se terminer à deux millimètres de la fin. La technique à employer consiste à couper au bon endroit et au bon moment. Ainsi seulement la pointe sera parfaite.

Pour cela, il faut tenir compte des points suivants:

- température régulière de la masse de sucre
- tirer toujours des arêtes aiguës
- bouger sans interruption pouce et index
- pour la pointe, pousser l'un contre l'autre les deux pouces et index et couper

RIASSUNTO: STIRAMENTO A PUNTA

Una foglia perfetta finisce a punta ciò vuol dire che non deve essere spuntata due millimetri prima della fine. La tecnica per ottenere una punta perfetta consiste nello staccare al posto giusto ed al momento giusto.

Fate attenzione ai seguenti punti:

- Temperatura regolare della massa dello zucchero
- Tirare sempre degli spigoli vivi
- Muovere continuamente i pollici e gli indici
- Per formare la punta serrare i due pollici e l'indice l'uno contro l'altro e staccare

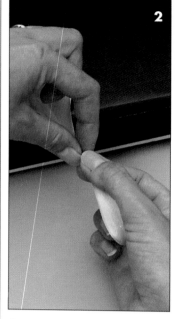

2 Blitzschnell beide Daumen und Zeigefinger aneinanderdrücken.

2 Quickly press together the thumb and index finger on each hand.

2 Pousser très rapidement l'un contre l'autre les deux pouces et index.

2 Serrare molto velocemente i due pollici e gli indici l'uno contro l'altro.

1 Daumen und Zeigefinger ununterbrochen bewegen, um unnötiges Abkühlen des Zuckers zu vermeiden.

1 Keep your thumbs and index fingers continually in motion to avoid unnecessary cooling of the sugar.

1 Bouger sans interruption pouce et index afin d'éviter un refroidissement du sucre inutile.

1 Muovere continuamente i pollici e gli indici per evitare il raffreddamento dello zucchero.

ZUM NACHSCHLAGEN
Diese Technik finden Sie unter Lektion 5, Buch 1, Seite 72 ausführlich Bild für Bild illustriert und erklärt.

FOR REFERENCE
This technique is illustrated and explained step-by-step in lesson 5, book 1, page 72.

POUR CONSULTER
Vous trouvez cette technique à la leçon 5, livre 1, page 72, illustrée et expliquée en détail, image après image.

PER CONSULTARE
Trovate questa tecnica, illustrata e spiegata immagine per immagine, alla lezione 5, libro 1, pagina 72.

3 Ebensoschnell abkneifen und die Spitze ist «geboren».

3 Snip off equally quickly: now you have a pointed leaf.

3 Couper aussi très rapidement et la pointe est née.

3 Staccare anche molto rapidamente ed ecco la punta della foglia.

ZUSAMMENFASSUNG: ZUCKERBLASEN

Eine sich gleichmässig dehnende Kugel gehört zur wichtigsten Voraussetzung dieser Technik. Sie müssen das Blasen so beherrschen, dass sich die Kugel dort dehnt, wo Sie es beabsichtigen. Andernfalls dehnt sie sich irgendwo unkontrolliert.

Dabei ist auf folgende Punkte zu achten:

● Gleichmässige Temperatur der Zuckermasse
● Die Öffnung muss bis in die Mitte der Kugel reichen
● Vor einer Lichtquelle, die Handpumpe immer drehend, blasen
● Geblasene Objekte restlos abkühlen lassen, bevor sie von der Kanüle entfernt werden

SUMMARY: SUGAR BLOWING

An evenly inflated ball is a basic requirement for this technique. You must be able to blow so that the ball inflates as you wish, otherwise it will inflate in the wrong place and get out of control.

Please observe the following points:

● Even temperature of the sugar mass
● The indentation must reach the centre of the ball
● Always blow before a source of light, constantly turning the hand pump
● Blown objects must be completely cooled down before being removed from the tube

RÉSUMÉ: SOUFFLAGE DU SUCRE

Une boule qui se dilate régulièrement est une des conditions essentielles de cette technique. Vous devez maîtriser le soufflage à un point tel que la boule se dilate là où vous le voulez. Sinon elle se dilate n'importe où sans contrôle.

Pour cela, il faut tenir compte des points suivants:

● température régulière de la masse de sucre
● l'ouverture doit aller jusqu'au milieu de la boule
● devant une source de lumière, en tournant toujours la pompe à main, souffler
● laisser refroidir complètement les objets soufflés avant de les éloigner de la canule

RIASSUNTO: STIRAMENTO DELLO ZUCCHERO

Una palla dilatata regolarmente conta tra le premesse più importanti di questa tecnica. Dovete essere padroni della soffiatura in modo che la palla si dilati dove volete voi. Altrimenti la palla si dilata ovunque e senza controllo.

Fate attenzione ai seguenti punti:

● Temperatura regolare della massa dello zucchero
● L'apertura deve andare fino al centro della palla
● Soffiare davanti ad una sorgente luminosa girando sempre la pompa a mano
● Far raffreddare completamente gli oggetti soffiati prima di staccarli dalla cannula

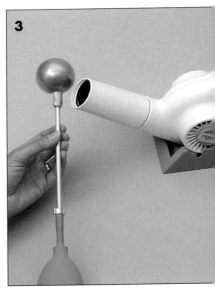

1 Mit dem Zeigefinger eine annähernd bis in die Mitte reichende Öffnung eindrücken.

1 Using your index finger, make an indentation approx. to the centre.

1 Avec l'index, enfoncer une ouverture qui doit aller à peu près jusqu'au milieu.

1 Con l'indice imprimere un'apertura che vada approssimativamente fino al centro.

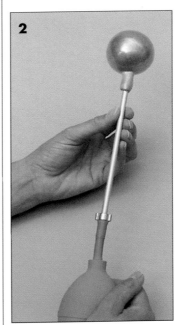

2 Beim Dehnen wird die Kugel nur berührt, um Änderungen anzubringen.

2 During inflation, only touch the ball if you want to modify the shape.

2 Au moment de la dilatation, la boule ne sera touchée que pour apporter des modifications.

2 Durante la dilatazione toccare la palla solamente per modificarla.

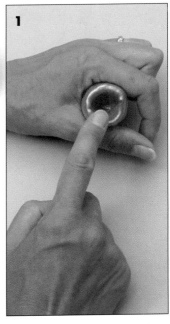

ZUM NACHSCHLAGEN
Diese Technik finden Sie unter Lektion 7, Buch 1, Seite 78 ausführlich Bild für Bild illustriert und erklärt.

FOR REFERENCE
This technique is illustrated and explained step-by-step in lesson 7, book 1, page 78

POUR CONSULTER
Vous trouvez cette technique à la leçon 7, livre 1, page 78, illustrée et expliquée en détail, image après image.

PER CONSULTARE
Trovate questa tecnica, illustrata e spiegata immagine per immagine, alla lezione 7, libro 1 pagina 78.

3 Komplett abkühlen lassen, bevor sie von der Kanüle entfernt wird.

3 Allow the object to cool down completely before you remove it from the tube.

3 Laisser refroidir complètement avant de l'éloigner de la canule.

3 Lasciar raffreddare la palla completamente prima di staccarla dalla cannula.

SO BITTE NICHT! FEHLERQUELLEN

NOT LIKE THIS! SOME COMMON MISTAKES

PAS COMME CELA! SOURCES D'ERREURS

NON COSI, PER FAVORE! CAUSE DI ERRORI

Wenn Fehler entstehen oder Ihr Produkt nicht Ihren Vorstellungen entspricht, müssen Sie zuerst die Ursache eruieren, bevor Sie neu beginnen. Mit dieser Einstellung können alle dieses tolle Handwerk erlernen.

If mistakes occur, or your creation does not meet up to your expectations, first look for the reason before making a second attempt. With this attitude anyone can learn this fascinating craft.

Si des erreurs se produisent ou si votre produit n'est pas à la hauteur de vos espérances, vous devez tout d'abord en chercher les causes avant de recommencer. Avec cette attitude, chacun peut apprendre ce métier merveilleux.

Se commettete degli errori, o se il prodotto non risponde alle vostre aspettative, dovete trovare la causa, prima di cominciare da capo. Con questo atteggiamento tutti possono imparare questo bellissimo mestiere.

STREIFENARTIGES ZIEHEN
PULLING A STRIPED BAND
TIRAGE À RAYURES
STIRAMENTO STRIATO

1 Die Zuckerstangen hatten ungleichmässige Temperaturen!

1 The strips of sugar were not of equal temperature!

1 Les barres de sucre avaient des températures irrégulières!

1 Le bacchette di zucchero avevano delle temperature irregolari!

ZUCKERZIEHEN
SUGAR PULLING
TIRAGE DU SUCRE
STIRAMENTO DELLO ZUCCHERO

3 Die scharfe Kante fehlt!

3 No sharp edge!

3 L'arête aiguë manque!

3 Manca lo spigolo vivo!

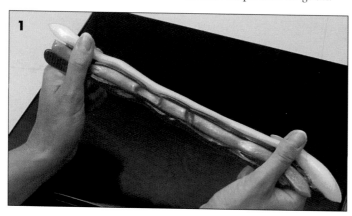

2 Zu fein gezogen, der Zucker kühlt schneller ab, als man ihn verarbeiten kann!

2 If the sugar is pulled too finely, it will cool down faster than you are able to shape it!

2 Tiré trop fin, le sucre refroidit trop vite et on n'a pas le temps de le façonner!

2 Se lo zucchero viene tirato troppo sottilmente, raffredda più velocemente del tempo che impiegate a lavorarlo!

4 Zu wenig Zuckermasse für die Grösse des Bandes, es bricht stets sehr schnell!

4 Sugar mass insufficient for the size of the band, so that it keeps breaking!

4 Trop peu de masse de sucre pour la grandeur de la bande, elle se brise toujours très vite!

4 Troppo poca massa di zucchero per la grandezza del nastro, rischia sempre di rompersi subito!

SPITZIGES ZIEHEN
PULLING A POINT
TIRAGE EN POINTE
STIRAMENTO A PUNTA

5 Daumen und Zeigefinger bewegen sich nicht, die Blattform wird sehr ungleichmässig!

5 The thumb and index finger are immobile and the leaf is very irregularly shaped!

5 Pouce et index ne bougent pas, la forme feuille devient très irrégulière!

5 Il pollice e l'indice non si muovono, la forma della foglia diventa molto irregolare!

ZUCKERBLASEN
SUGAR BLOWING
SOUFFLAGE DU SUCRE
SOFFIATURA DELLO ZUCCHERO

7 Die Öffnung muss in die Mitte der Kugel reichen. Aber keinesfalls einen Krater modellieren!

7 The indentation must reach the centre of the ball, but don't model a crater!

7 L'ouverture doit aller jusqu'au milieu de la boule. Ne modeler en aucun cas un cratère!

7 L'apertura deve andare fino al centro della palla. Non bisogna però in nessun caso modellare un cratere.

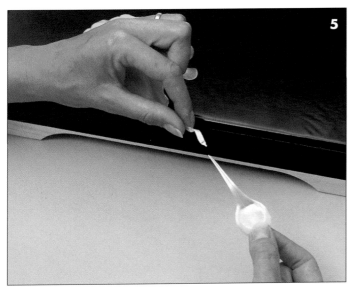

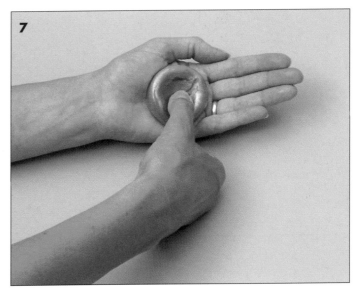

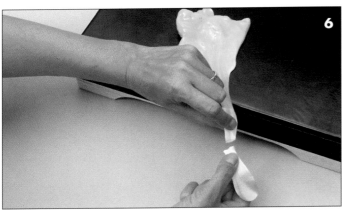

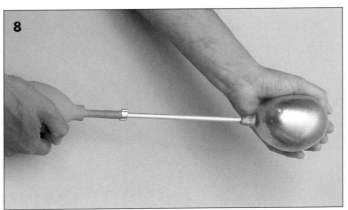

6 Nicht anfassen, abkneifen!

6 Do not hold, just snip off!

6 Ne pas toucher, couper!

6 Non toccare, staccare!

8 Die Kugel erst berühren, wenn sie sich dehnt und nur, um Änderungen anzubringen!

8 Only touch the ball when it inflates, and then only to modify the shape.

8 Toucher seulement la boule si elle se dilate et seulement pour apporter des modifications!

8 Toccare la palla solo, se si dilata e solamente per modificare.

DAS SPIEL MIT WÄRME UND KÄLTE

THE INTERPLAY OF WARMING AND COOLING

LE JEU AVEC LE CHAUD ET LE FROID

IL GIOCO CON IL CALDO ED IL FREDDO

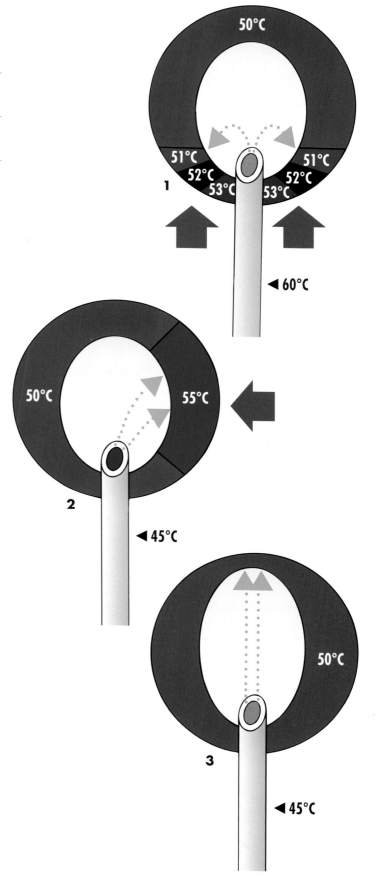

Sehr oft wird eine sich gleichmässig dehnende Kugel dem Zufall verdankt. Aber die Ausgangslage für jedes geblasene Objekt kann durch das Wechselspiel von Abkühlen und Erwärmen zu 100 Prozent beeinflusst werden.

MR. FABILO SAGT:
Die Luft sucht immer den Weg des geringsten Widerstandes!

A regularly inflated ball is often thought to be just a matter of luck. In fact you can fully influence the initial shape of every blown object through the interplay of warming and cooling.

MR. FABILO SAYS:
Air always seeks the way of least resistance!

Très souvent, une boule dilatée régulièrement est attribuée au hasard. Mais le point de départ de chaque objet soufflé peut être influencé à 100 % par le jeu alterné entre le chaud et le froid.

MR. FABILO DIT:
L'air cherche toujours le chemin de la moindre résistance!

Molto spesso una palla dilatata regolarmente viene attribuita al caso. Però la condizione iniziale di ogni oggetto soffiato può essere influenzata del 100 % dal gioco alterno tra raffreddare e riscaldare.

MR. FABILO DICE:
L'aria cerca sempre la via della minore resistenza!

DIE DREI HÄUFIGSTEN FEHLER:

THE THREE MOST COMMON MISTAKES:

LES TROIS ERREURS LES PLUS COURANTES:

I TRE ERRORI PIÙ FREQUENTI:

1 Die Kanüle wurde zu heiss erwärmt.

1 The tube was overheated.

1 La canule a été trop réchauffée.

1 La cannula è stata riscaldata troppo.

2 Ungleichmässige Temperatur der Zuckermasse.

2 Uneven temperature of the sugar mass.

2 Température irrégulière de la masse de sucre.

2 Temperatura irregolare della massa di zucchero.

3 Wandung zu Beginn ungleichmässig.

3 The walls were not of uniform thickness at the outset.

3 Paroi irrégulière au début.

3 Parete irregolare all'inizio.

Der grösste Vorteil des Spiels mit der Wärme und der Kälte liegt darin, dass sehr viele Figuren, wie beispielsweise ein Kopf eines Drachens, manuell modelliert werden. Dadurch sind Sie nicht von einer Silikon-Form abhängig.

KÜHLEN
Das Kühlen erfolgt bei grossen Flächen mit dem Fön und bei kleinen Flächen mit der Hand.

WÄRMEN
Das Erwärmen erfolgt nur mit der Warmluft des Föns. Spiritusbrenner und Mikro-Torch hinterlassen negative Glanzspuren.

The biggest advantage of the interplay of warming and cooling is that many figures, e.g. a dragon's head, can be modelled by hand. This means you don't have to rely on a silicone form.

COOLING
Use the hairdryer to cool large surfaces; small surfaces can be cooled by hand.

WARMING
Always use hot air from the hairdryer for warming. The methylated spirits burner and the micro torch leave unsightly shiny traces.

1 Perfekte Ausgangslage.
1 Perfect starting condition.
1 Point de départ parfait.
1 Perfetta condizione iniziale.

50°C

◀ 45°C

1

2

49°C **50°C**

◀ 45°C

2 Durch das Kühlen im linken Bereich dehnt sich die Gegenseite.

2 By cooling on the left, the opposite side will inflate.

2 Par le refroidissement du côté gauche, le côté opposé se dilate.

2 Con il raffreddamento del lato sinistro si dilata il lato opposto.

47°C **46°C**

47°C

46°C

3

◀ 45°C

3 Das Spiel hat begonnen, das Objekt dehnt sich dort, wo Sie es wünschen!

3 Now you can start: the object will inflate exactly where you want!

3 Le jeu a commencé, l'objet se dilate là où vous le souhaitez!

3 Il gioco è cominciato, l'oggetto si dilata dove lo desiderate voi!

Le grand avantage du jeu avec le chaud et le froid tient dans le fait que de très nombreuses figures, comme, par exemple, la tête d'un dragon, sont modelées manuellement. De ce fait, elles ne sont pas dépendantes d'une forme en silicone.

REFROIDIR
Le refroidissement s'obtient avec le sèche-cheveux pour les grandes surfaces et avec la main pour les petites surfaces.

RÉCHAUFFER
Le réchauffement s'obtient seulement avec l'air chaud du sèche-cheveux. Lampe à alcool et micro-torche laissent des traces brillantes négatives.

Il più grande vantaggio del gioco con il caldo ed il freddo è che si possono modellare tantissime figure a mano come per esempio la testa di un drago. Così non siete costretti ad usare la forma di silicone.

RAFFREDDARE
Le grandi superfici vanno raffreddate con l'asciugacapelli, le piccole superfici con la mano.

RISCALDARE
Per riscaldare va usata sempre l'aria calda dell'asciugacapelli. La lampada a spirito ed il Mikro-Torch lasciano brutte tracce lucide.

SCHUTZ GEGEN LUFTFEUCHTIG-KEIT

Die gekochte Zuckermasse, versetzt mit Glukose und Weinsteinsäure, ist hygroskopisch und kann bis 40 % Luftfeuchtigkeit ungeschützt aufbewahrt werden. Sehr oft jedoch bewegt diese sich zwischen 35 % und 95 %. Bei über 40 % Luftfeuchtigkeit werden Schutzhilfsmittel unentbehrlich. Sie reichen vom Plastikbeutel bis zur feuchtigkeitsdichten Vitrine und garantieren die erwartete Haltbarkeit der Zuckerfiguren, die je nach Bedürfnis unterschiedlich sein kann.

PROTECTION AGAINST HUMIDITY

The boiled sugar mass, mixed with glucose and tartaric acid, is hygroscopic and may be kept unprotected if the humidity is 40 % or less. However, humidity often fluctuates between 35 % and 95 %. If the humidity is over 40 % you will have to take precautions to protect your showpieces. Precautions range from a plastic bag to a moisture-proof showcase and will guarantee the expected life-time of the sugar figures, which may vary according to requirements.

PROTECTION CONTRE L'HUMIDITÉ DE L'AIR

La masse de sucre cuite, mélangée avec du glucose et de l'acide tartrique, est hygroscopique et peut être conservée sans protection par une humidité de l'air jusqu'à 40 %. Très souvent, elle oscille entre 35 % et 95 %. Au-delà de 40 % d'humidité de l'air, des moyens de protection sont indispensables. Ils s'étendent du sac en plastique à la vitrine étanche à l'humidité et garantissent la bonne conservation des figurines en sucre qui peut être différente suivant les cas.

PROTEZIONE CONTRO L'UMI-DITÀ DELL'ARIA

La massa di zucchero cotta, mescolata con glucosio e acido tartarico è igroscopica e può essere conservata senza essere protetta in un'umidità dell'aria del 40 %. Molto spesso però si aggira tra il 35 % ed il 95 %. Se l'umidità dell'aria è al di sopra del 40 % occorrono mezzi di protezione. Vanno dalla busta di plastica alla vetrina impermeabile e garantiscono la resistenza aspettata delle figure di zucchero, che a seconda dei desideri può variare molto.

SCHUTZHILFSMITTEL
METHODS OF PROTECTION
MOYENS DE PROTECTION
MEZZI DI PROTEZIONE

A Unbehandelt/Untreated/Non traité/Non trattato

B Plastikbeutel mit ungelöschtem Kalk oder Silicagel blau/Plastic bag with quicklime or Silicagel blue/Sac en plastique avec chaux vive ou silicagel bleu/Busta di plastica con calce viva o silicagel blu

C Schutz- und Glanzlack/Protective lacquer and glossy varnish/Laque de protection et vernis brillant/Lacca di protezione o vernice lucida

D Glaskugel mit Silicagel blau/Glass dome with silicagel blue/Cloche en verre avec silicagel bleu/Sfera di vetro con silicagel blu

E Glaskugel mit ungelöschtem Kalk, feuchtigkeitsdicht verschlossen/Glass dome with quicklime, sealed against humidity/Cloche en verre avec chaux vive, étanche à l'humidité/Sfera con calce viva

F Vitrine mit ungelöschtem Kalk, feuchtigkeitsdicht verschlossen/Showcase with quicklime, sealed against humidity/Vitrine avec chaux vive, étanche à l'humidité/Vetrina con calce viva

BEDÜRFNISSE
REQUIREMENTS
BESOINS
RICHIESTE

1 Torte/Cake/Gâteau/Torta

2 Hochzeitstorte/Wedding cake/Gâteau de mariage/Torta nuziale

3 Lehrabschlussprüfung/Apprentices' qualifying exam/Examen de fin d'apprentissage/Esame finale dell'apprendistato

4 Meisterprüfung/Master craftsman's qualifying exam/Examen de maîtrise/Esame di maestro

5 A la carte/A la carte/A la carte/A la carte

6 Ausstellung/Exhibition/Exposition/Esposizione

7 Schaufenster/Display window/Vitrine/Vetrina

8 Empfang und Buffet/Reception and buffet/Réception et buffet/Ricevimento e buffet

9 Sonderanfertigung/Special orders/Fabrication spéciale/Produzione di richieste speciali

10 Produktion auf Abruf/Call orders/Production sur appel/Produzione a consegna dilazionata

11 Verleih/Hiring/Location/Prestito

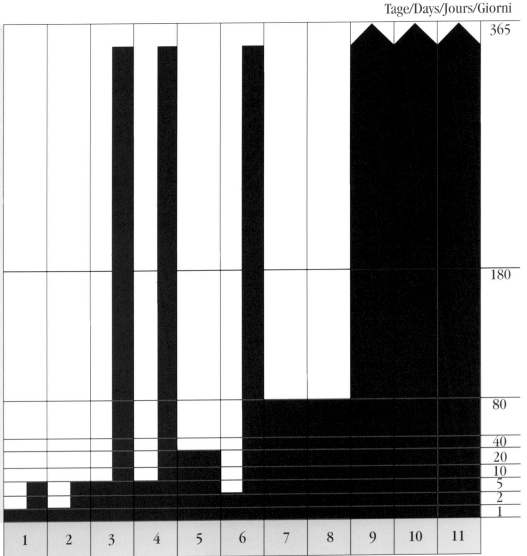

Tage/Days/Jours/Giorni

LUFTFEUCHTIGKEIT BEI DER PRODUKTION

Die Luftfeuchtigkeit bei der Produktion sollte nie über 45 %–50 % betragen, da die Zuckerfiguren sonst Feuchtigkeitsschäden aufweisen. Luftentfeuchter oder Klimaanlagen regeln dieses Problem.

HUMIDITY DURING PRODUCTION

During production the humidity must never exceed 45%–50%, otherwise it will spoil the sugar figures. You can solve this problem by using dehumidifiers or air conditioners.

HUMIDITÉ DE L'AIR LORS DE LA PRODUCTION

Lors de la production, l'humidité de l'air ne doit pas dépasser 45 % à 50 % sinon les figurines en sucre subissent des dommages dus à l'humidité. Déshumidificateurs et climatiseurs règlent ce problème.

UMIDITÀ DELL'ARIA DURANTE LA PRODUZIONE

L'umidità dell'aria durante la produzione non dovrebbe superare mai il 45 %-50 %, perché altrimenti le forme di zucchero presentano dei danni di umidità. Deumidificatori o climatizzatori risolvono questo problema.

PERLEN, EIN ZUCKER, DER KEIN ZUCKER IST

Unter Perlen verstehen wir in der Zuckerartistik Isomalt, einen Zuckeraustauschstoff, der sich für die Zuckerartistik bestens eignet. Dank seiner einfachen Anwendung haben die Perlen in den letzten 5 Jahren erheblich an Marktanteil gewonnen. Im Bereich Zuckergiessen wird heute bereits mehr als 75 % mit diesem grandiosen Granulat gearbeitet, und das Zuckerkochen zum Giessen von Figuren wird in der nahen Zukunft komplett ersetzt werden.

HERSTELLUNG VON PERLEN

Im Jahre 1957 wurde die Erfindung veröffentlicht, wonach Protaminobacter rubrum Saccharose in das reduzierende Disaccharid 6-0-α-D-Glucopyranosyl-D-fructose überführt. Die chemische Bezeichnung für das neue Produkt: Isomaltulose.

Die Herstellung gliedert sich in zwei Schritte:

1. Die enzymatische Umlagerung von Saccharose (α1-β2) in die sehr viel stabilere Isomaltulose (α1-6).

2. Nach einer Reinigungskristallisation erfolgt die Hydrierung der Isomaltulose in wässriger neutraler Lösung (pH = 6 - 8) mit Wasserstoff und Raney-Nickel.

PEARLS: SUGAR THAT ACTUALLY ISN'T SUGAR

When sugar artists talk of pearls they mean Isomalt, a sugar substitute that is ideal for sugar art. Isomalt is simple to use, and for this reason its market share has risen sharply over the past 5 years. Today, this excellent granulate is used in over 75 % of sugar casting, and boiling sugar for the casting of figures will soon be a thing of the past.

THE MANUFACTURE OF PEARLS

In 1957 a discovery was publicised, according to which Protaminobacter rubrum transferred sucrose into the reducing disaccharide 6-0-α-D-Glucopyranosyl-D-fructose. The chemical designation for the new product was Isomaltulose.

Manufacture takes place in two stages:

1. Enzymatic rearrangement of sucrose (α1-β2) into the much more stable Isomaltulose (α1-6).

2. After purifying by crystallisation, the Isomaltulose is hydrogenated in a neutral aqueous solution (pH = 6-8) with hydrogen and Raney nickel.

LES PERLES, DU SUCRE QUI N'EN EST PAS

Sous perles, nous entendons l'isomalt dans les arts du sucre, un produit de remplacement qui s'adapte fort bien. Grâce à leur emploi simple, les perles ont augmenté fortement leur part de marché ces cinq dernières années. Dans le domaine du coulage du sucre, plus de 75 % d'utilisateurs se servent de ce granulé grandiose et la cuisson du sucre pour le coulage de figurines sera complètement remplacée par les perles dans un proche avenir.

FABRICATION DES PERLES

L'invention a été rendue publique en 1957, après que protaminobacter rubrum saccharose ait été réduit à disaccharide 6-0-α-D-glucopyranosyl-D-fructose. Désignation chimique pour le nouveau produit: isomaltulose.

La fabrication s'effectue en deux opérations:

1. La transformation enzymatique du saccharose (α1-β2) dans le beaucoup plus stable isomaltulose (α1-6).

2. Après une cristallisation purificatrice suit l'hydrogénation de l'isomaltulose en une solution aqueuse neutre (pH = 6-8) avec de l'hydrogène et du nickel de Raney.

LE PERLE, UNO ZUCCHERO CHE NON È ZUCCHERO

Sotto perle intendiamo, nella arte dello zucchero, isomalt, un surrogato di zucchero che si adatta benissimo per l'arte dello zucchero. Grazie al loro uso semplice, le perle hanno aumentato molto la loro quota di mercato negli ultimi 5 anni. Nell'ambito della colatura di zucchero, più del 75 % degli utenti lavora oggi già con questo granulo e la cottura di zucchero per la colatura di figure sarà completamente sostituita dalle perle in un prossimo futuro.

FABBRICAZIONE DI PERLE

Nel 1957 è stata pubblicata l'invenzione, dopo che il protaminobacter rubrum saccarosio è stato ridotto a disaccarosio 6-0-α-D-glucopyranosyl-D-fruttosio. Denominazione chimica del nuovo prodotto: isomaltulosa.

La fabbricazione si svolge in due passi:

1. La trasformazione enzimatica del saccarosio (α1-β2) nell'isomaltulosa (α1-6) molto più stabile.

2. Dopo la cristallizzazione purificante segue l'idrogenazione dell'isomaltulosa in una soluzione acquosa neutrale (pH = 6-8) con idrogeno e nichel di Raney.

Saccharose
$(\alpha 1 - \beta 29$
$(\alpha_1 - \beta_2)$

Isomaltulose
$(a1 - 6$
$(\alpha_1 - 6)$

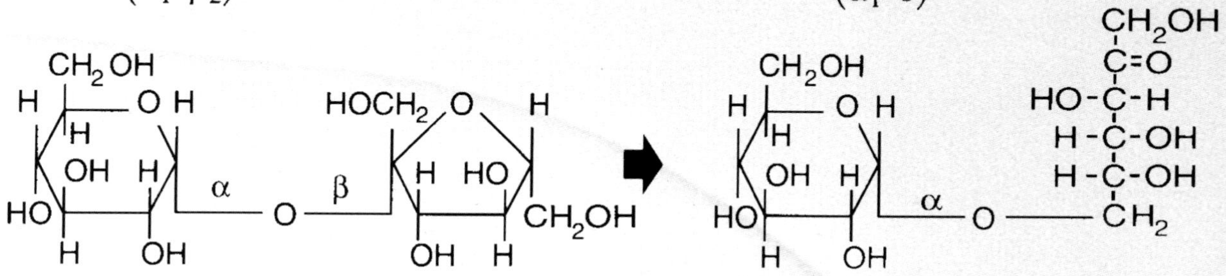

Isomaltulose

ISOMALT

1-0-α-D-Glucopyranosyl-D-mannit Dihydrat

6-0-α-D-Glucopyranosyl-D-sorbit

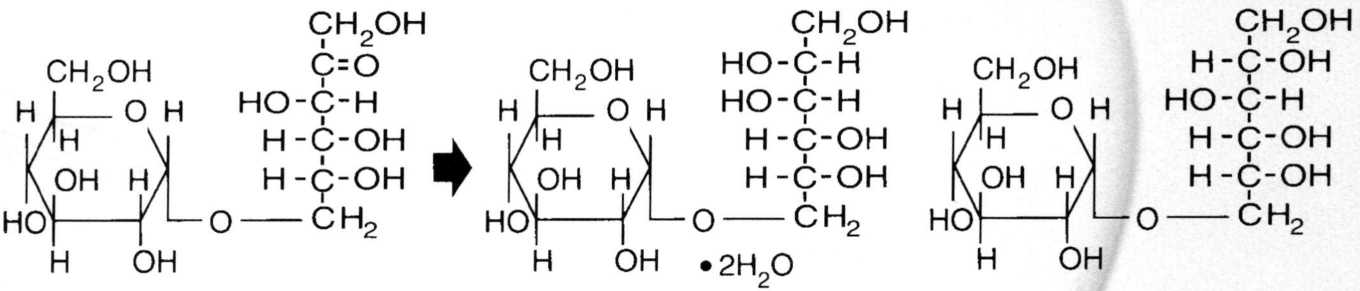

Es entsteht Isomalt, eine Mischung der Isomeren 1-0-α-D-Glucopyranosyl-D-mannit Dihydrat und 6-0-α-D-Glucopyranosyl-D-sorbit.

The result is Isomalt, a mixture of the isomers 1-0-α-D-Glucopyranosyl-D-mannitol dihydrate and 6-0-α-D-Glucopyranosyl-D-sorbitol.

Ainsi naît l'isomalt, un mélange des isomères 1-0-α-D-glucopyranosyl-D-mannitol dihydraté et 6-0-α-D-glucopyranosyl-D-sorbitol.

L'isomalto si forma attraverso una miscela di isomeri 1-0-α-D-glucopyranosyl-D-mannite diidrato e 6-0-α-D-glucopyranosyl-D-sorbitolo.

SCHMELZEN UND VERARBEITEN – EINFACHER GEHT'S NICHT MEHR | SIMPLY MELT THE PEARLS AND START WORKING – IT COULDN'T BE EASIER!

ANWENDUNG ZUM KLAREN GIESSEN

INSTRUCTIONS FOR CLEAR CASTING

EMPLOI POUR COULAGE CLAIR

USO PER LA COLATURA CHIARA

1 Die weissen Perlen in einer Pfanne ohne Wasser, Glukose oder Weinsteinsäure auflösen.

1 Dissolve the white pearls in a pan without water, glucose or tartaric acid.

1 Dissoudre les perles blanches dans une poêle sans eau, glucose ou acide tartrique.

1 Sciogliere le perle bianche in una pentola senza acqua, glucosio o acido tartarico.

2 Einen Augenblick warten, bis die Lösung luftblasenfrei ist.

2 Wait an instant until the solution is free of air bubbles.

2 Attendre un moment jusqu'à ce que la solution soit sans bulles.

2 Aspettare un'attimo fino a che la soluzione sia senza bolle.

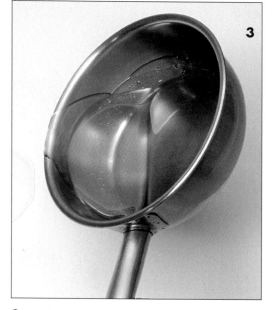

ANWENDUNG ZUM TRÜBEN GIESSEN

INSTRUCTIONS FOR OPAQUE CASTING

EMPLOI POUR COU-LAGE OPAQUE

USO PER LA COLATU-RA OPACA

4 Die weissen Perlen in einer Pfanne ohne Wasser, Glukose oder Weinsteinsäure auflösen und 1 g in Wasser angerührte weisse Lebens-mittelfarbe beifügen. Schritt Nr. 2 einhalten, und los geht's mit dem Giessen.

4 Dissolve the white pearls in a pan without water, glucose or tartaric acid, then add 1 g of white food colouring, mixed with water. Observe point 2, then you can start casting.

3 Es geht los mit dem Giessen.

3 Now you can start casting.

3 Commencer à couler.

3 Cominciare a colare.

4 Dissoudre les perles blanches dans une poêle sans eau, glucose ou acide tartrique et y ajouter 1 g de couleur ali-mentaire blanche préparée dans de l'eau. Faire comme pour l'opération 2 précitée et commencer à couler.

4 Sciogliere le perle bianche in una pentola senza acqua, glucose o acido tartarico e aggiungerci 1 g di colore ali-mentare bianco mescolato in acqua. Seguire il passo n° 2 succitato e cominciare a colare.

COULER ET FAÇONNER – DIFFICILE DE PROCÉDER PLUS SIMPLEMENT

FONDERE E LAVORARE – LA MANIERA PIU SEMPLICE CHE ESISTE

MR. FABILO SAGT:
Komplett aufgelöste Perlen werden nie rekristallisieren. Somit könnten sie mehrmals erwärmt werden. Jedoch Vorsicht! Je länger die Perlen in der Pfanne kochen oder je öfter die gleiche Perlenmasse erwärmt wird, desto spröder wird das gegossene Objekt, und bei Erwärmung über 50 °C bricht es sehr schnell. Deshalb sollten vor dem Giessen der Masse immer ein paar Tropfen Wasser beigefügt werden, um den Feuchtigkeitsverlust ausgleichen zu können.

MR. FABILO SAYS:
Completely dissolved pearls never recrystallise, so that they can be reheated several times. But be careful! The longer the pearls are heated in the pan, or the more often the mass is heated up, the more brittle your cast object will be and it will break very easily if the mass is heated to over 50°C. For this reason, always add a few drops of water to the mass before casting, to compensate the loss of moisture.

MR. FABILO DIT:
Des perles complètement dissoutes ne se recristallisent pas. De ce fait, elles peuvent être réchauffées plusieurs fois. Attention toutefois! Plus longtemps les perles bouilliront dans la poêle ou plus souvent la même masse de perles sera réchauffée, plus cassant sera l'objet coulé et risquera de se briser très vite réchauffé à plus de 50 °C. Par conséquent, il vaut mieux ajouter à la masse quelques gouttes d'eau avant le coulage pour équilibrer la perte d'humidité.

MR. FABILO DICE:
Perle sciolte completamente non si ricristallizzano mai più. Per questa ragione possono essere riscaldate più volte. Però attenzione! Più durerà la cottura delle perle nella pentola o più spesso verrà riscaldata la stessa massa di perle, più fragile sarà l'oggetto colato e rischierà la rottura una volta raggiunta la temperatura di 50°. Perciò bisogna sempre aggiungere alla massa qualche goccia di acqua per equilibrare la perdita di umidità.

ANWENDUNG ZUM ZIEHEN UND BLASEN

INSTRUCTIONS FOR PULLING AND BLOWING

EMPLOI POUR TIRAGE ET SOUFFLAGE

USO PER LO STIRAMENTO E LA SOFFIATURA

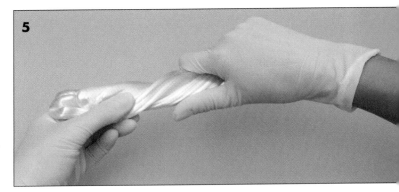

5 Die aufgelösten Perlen, allerdings ohne weisse Lebensmittelfarbe, auf einer Giessmatte oder auf geöltem Marmor ausleeren und gemäss Buch 1 Seite 33 abkühlen und zum Seidenglanz ziehen.

5 Pour the dissolved pearls (without white food colouring) onto a casting mat or a greased marble slab. Cool down and pull to a silky sheen (see book 1, page 33).

5 Vider les perles dissoutes, toutefois sans couleur alimentaire blanche, sur une toile antiadhésive ou sur un marbre huilé et, selon le livre 1, page 33, les refroidir et les tirer pour obtenir le brillant de la soie.

5 Versare le perle sciolte, senza colore alimentare bianco, su una tela antiadesiva o su del marmo oliato e raffreddare, come nel libro 1 pagina 33, poi tirare per ottenere la lucentezza serica

6 Die Verarbeitung beim Ziehen oder Blasen ist die gleiche wie beim Zucker.

6 For pulling or blowing, the procedure is the same as for sugar.

6 Le façonnage pour le tirage ou le soufflage est le même que pour le sucre.

6 La lavorazione per lo stiramento o la soffiatura è la stessa come per lo zucchero.

HALTBARKEIT, GLANZ UND VERTRÄGLICHKEIT

PERISHABILITY, SHEEN AND DIGESTIBILITY

VERTRÄGLICHKEIT VON PERLEN

Bei der Beurteilung der Verträglichkeit von Perlen muss darauf hingewiesen werden, dass bei allen Polyolen wie Maltit und Lactit sowie bei Sorbit und Mannit der übermässige Genuss abführend wirken kann. Das gleiche gilt für Produkte wie Milch, Kohl, Zwiebeln usw.

Dieser Effekt bedarf jedoch der ausdrücklichen Differenzierung. Nach einhelliger Meinung der Wissenschaftler beruht die abführende Wirkung von Polyolen auf einem reversiblen osmotischen Effekt, während Durchfall zumeist infektiös ist. Der Körper gewöhnt sich allerdings sehr schnell daran und die laxierende Wirkung tritt nicht mehr auf.

DIGESTIBILITY OF PEARLS

When assessing the digestibility of pearls, it should be noted that – as with all polysaccharides such as maltose and lactose, as well as with sorbitol and mannitol – excessive consumption can have a laxative effect. The same is true of products such as milk, cabbage, onions, etc. However, a distinction should be made: scientists agree unanimously that the laxative effect of polysaccharides is due to a reversible osmotic effect, whereas normally diarrhoea is infectious. The body quickly becomes accustomed to this laxative effect and the diarrhoea ceases.

Aus dem Diagramm ist deutlich die hervorragende Haltbarkeit bei hoher Luftfeuchtigkeit der Perlen-Schaustücke erkennbar.

The diagram shows quite plainly that pearl showpieces can be kept for very long periods when air humidity is high.

L'excellente conservation à un degré d'humidité élevé des pièces en perles est parfaitement reconnaissable sur le diagramme.

Dal diagramma risulta nettamente l'eccellente conservazione degli oggetti da mostra esposti ad un'alto grado di umidità dell'aria.

«PROF. DR. P&S FABILO» SAGT:
Ob der seit über 160 Jahren verwendete Zucker für unser Handwerk bald ganz durch die Perlen verdrängt werden wird, wird die nahe Zukunft zeigen.

«PROF. DR. P&S FABILO» SAYS:
The next few years will show whether these pearls are going to supplant the sugar which we have been using in our craft for over 160 years.

«PROF. DR. P&S FABILO» DIT:
Le proche avenir nous montrera si le sucre utilisé dans notre métier depuis plus de 160 ans sera bientôt chassé complètement par les perles.

«PROF. DR. P&S FABILO» DICE:
In un prossimo futuro si dimostrerà se lo zucchero, usato nel nostro mestiere da più di 160 anni, verrà presto sostituito completamente dalle perle.

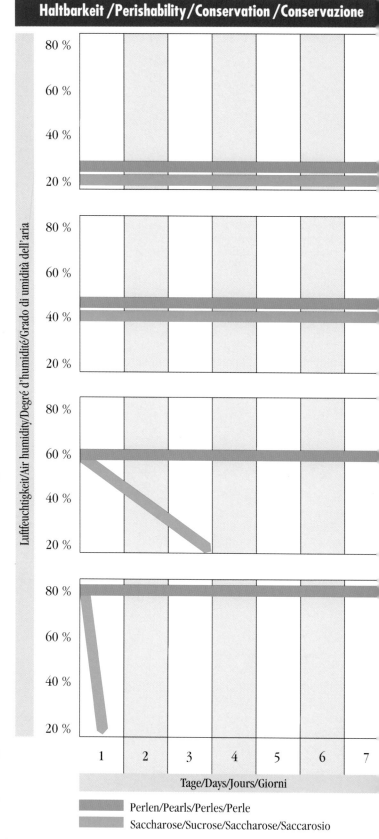

Haltbarkeit /Perishability/Conservation /Conservazione

Luftfeuchtigkeit/Air humidity/Degré d'humidité/Grado di umidità dell'aria

Tage/Days/Jours/Giorni

Perlen/Pearls/Perles/Perle

Saccharose/Sucrose/Saccharose/Saccarosio

CONSERVATION, BRILLANT ET COMPATIBILITÉ

CONSERVAZIONE, LUCENTEZZA E COMPATIBILITÀ

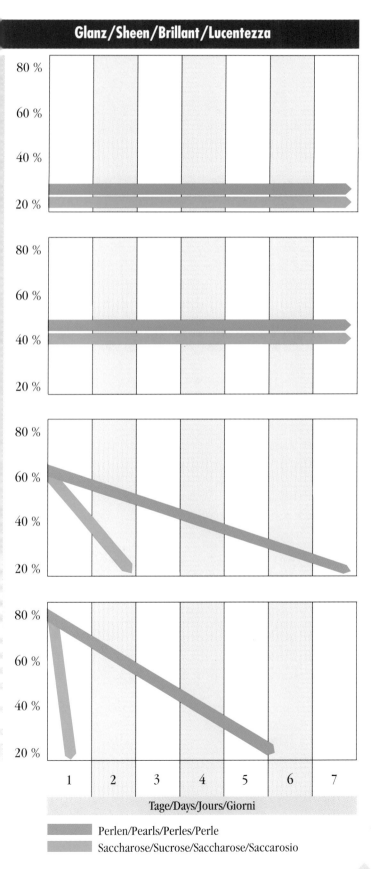

Glanz/Sheen/Brillant/Lucentezza

Tage/Days/Jours/Giorni

Perlen/Pearls/Perles/Perle
Saccharose/Sucrose/Saccharose/Saccarosio

Die Perlen-Schaustücke verlieren bei hoher Luftfeuchtigkeit an Glanz. Dank der geringen Hygroskopizität verlieren sie jedoch nie die Form und kollabieren nicht wie die Zucker-Schaustücke.

Under conditions of high air humidity the pearl showpieces lose their sheen. However, thanks to the low hygroscopicity they never lose their shape or collapse like sugar showpieces.

Les pièces en perles perdent en brillant à un degré d'humidité élevé. Grâce à un faible degré d'hygrométrie, elles ne perdent toutefois pas la forme et ne se brisent pas comme les pièces en sucre.

Gli oggetti di mostra fatti di perle perdono la loro lucentezza se esposti ad un'alto grado di umidità dell'aria. Grazie al basso grado di igroscopicità non perdono tuttavia mai la forma e non cadono come gli oggetti di zucchero.

COMPATIBILITÉ DES PERLES

Pour juger de la compatibilité des perles, il faut rendre attentif sur le fait que chez tous les polysaccharides comme la maltose et la lactose ainsi que pour le sorbitol et la mannite, une consommation excessive peut donner la diarrhée. Cela est vrai aussi pour le lait, le chou, les oignons, etc. Cet effet est toutefois soumis à des différences notoires. D'après les scientifiques, l'effet de diarrhée des polysaccharides repose sur un effet osmotique, tandis que la diarrhée en elle-même est principalement infectieuse. Le corps s'habitue néanmoins très vite et l'effet laxatif n'apparaît plus.

COMPATIBILITÀ DELLE PERLE

Per giudicare la compatibilità delle perle bisogna richiamare l'attenzione sul fatto che tutti i polisaccaridi come il maltosio e lattosio, nonché la sorbite e la mannite, possono essere lassativi se consumati in eccesso. Questo vale anche per i prodotti come il latte, il cavolo, le cipolle ecc., una distinzione deve, tuttavia, essere fatta. Secondo l'opinione degli scienziati, l'effetto purgativo dei polisaccaridi si basa su un effetto osmotico reversibile, mentre la diarrea è soprattutto infettiva. Il corpo ci si abitua tuttavia molto presto e l'effetto lassativo non si presenta più.

SPRINGENDE DELPHINE

LEAPING DOLPHINS

DAUPHINS JAILLISSANTS

DELFINI SALTANTI

Die sympathische, fast liebliche Ausstrahlung der Delphine erfreut nicht nur die Kinderherzen, sondern vermag auch Erwachsene in ihren Bann zu ziehen. Was könnte sich daher besser für ein Sommernachtsbuffet oder als Schaufensterdekoration während der Ferienzeit eignen als diese freundlichen Wesen? Auch zur Taufe oder Hochzeit präsentieren sich die Delphine ausgezeichnet. Das Schwergewicht dieser Lektion bildet der simple Aufbau des Schaustückes, mit dem Kinderträume des Betrachters in Verbindung gebracht werden.

The kindly, almost charming appearance of dolphins makes them irresistible to children and adults alike. What, then, could be more suitable for decorating a buffet on a summer evening or as a window display during the holiday season than this friendly creature? Dolphins also make excellent decorations for christenings or weddings. In this lesson the emphasis is on the simple construction of the showpiece, which should awaken memories of childhood dreams for the beholder.

Le rayonnement sympathique, presque charmant, des dauphins ne séduit pas seulement les enfants mais aussi les adultes. Quoi d'autre est mieux adapté au buffet des soirs d'été ou à la décoration de vitrine pendant les vacances que cette créature bienveillante? Les dauphins se prêtent aussi très bien pour fêter une naissance ou un mariage. L'accent principal de cette leçon est mis sur l'élaboration simple de cette pièce afin de mettre en harmonie les rêves d'enfant du contemplateur.

L'aspetto simpatico, quasi grazioso, dei delfini non affascina solo i bambini, ma anche gli adulti. Che cosa allora si adatterebbe meglio per un buffet delle serate estive o come decorazione di una vetrina durante la chiusura per ferie che queste creature benevoli? I delfini fanno anche una brillante figura nelle decorazioni di battesimi o matrimoni. In questa lezione diamo un'importanza maggiore alla costruzione semplice dell'oggetto da mostra che riesce a risvegliare i sogni d'infanzia dell'osservatore.

1 Den Boden auf Aluminiumfolie klar giessen, die Wasserimitation auf Backfolie mit blauer Farbe aus Zucker oder Perlen giessen. Den Hintergrund und die Stütze mit geschlämmtem Zucker oder mit Perlen rot, blau und schwarz marmoriert ausgiessen.

1 Cast the base onto aluminium foil and the imitation water onto baking paper, with blue colouring of sugar or pearls. Cast the background and the supports, using opaque sugar or red, blue and black marbled pearls.

1 Couler clairement le fond sur une feuille d'aluminium et l'imitation de l'eau sur une feuille de papier à four avec de la couleur bleue en sucre ou en perles. L'arrière-plan et les tuteurs sont coulés avec du sucre opaque ou des perles et marbrés en rouge, bleu et noir.

1 Colare il fondo chiaro su un foglio d'alluminio e colare l'imitazione dell'acqua su un foglio di carta a forno con dello zucchero o perle color blu. Lo sfondo e gli appoggi vengono colati con zucchero opaco o perle, marmorati di rosso, blu e nero.

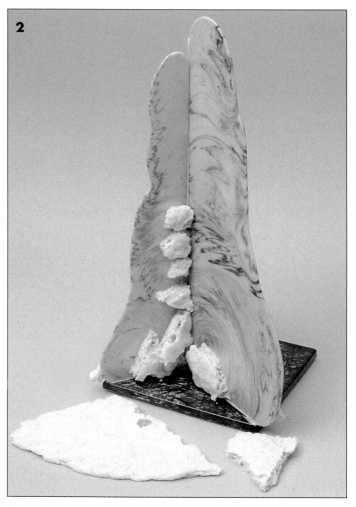

2 Den Hintergrund mit der Stütze im 90°-Winkel auf dem Boden befestigen. Felsenzuckerstücke gemäss Buch 1 Seite 159 mit flüssigem Zucker oder Perlen betupfen, und den Hintergrund beidseitig damit abdecken.

2 Fix the background and support at right angles to each other onto the base. Dab the pieces of rock sugar with liquid sugar or pearls (see book 1, page 159) then use this to cover the background on both sides.

2 Fixer l'arrière-plan avec le tuteur dans un angle de 90° sur le fond. Tamponner les morceaux de sucre roche (voir livre 1, page 159) avec du sucre fluide ou des perles et recouvrir avec cela l'arrière-plan des deux côtés.

2 Fissare lo sfondo con un'appoggio sul fondo rispettando un angolo di 90°. Toccare i pezzi di zucchero roccia (vedi libro 1, pagina 159)leggermente con zucchero liquido o perle e ricoprire con essi lo sfondo da tutti e due i lati.

3 Felsenzucker mit dem Airbrush spritzen, wobei der Hintergrund möglichst davon verschont sein sollte.

3 Use the airbrush to spray the rock sugar, taking care not to touch the background.

3 Pulvériser le sucre roche avec l'airbrush en évitant si possible de toucher l'arrière-plan.

3 Verniciare a spruzzo lo zucchero roccia con l'airbrush, risparmiandone quanto possibile lo sfondo.

4 Die Delphine gemäss Seite 33 blasen, malen und aufsetzen. Es ist darauf zu achten, dass die Ansatzfläche ausreichend gross ist, um die Stabilität zu garantieren.

4 Blow, paint and attach the dolphins as explained on page 33. Ensure that the fixing surface is large enough to guarantee stability.

4 Souffler les dauphins (voir page 33), les peindre et les appliquer. Il est important que la surface de base soit assez grande pour garantir la stabilité.

4 Soffiare i delfini come a pagina 33, dipingerli ed applicarli. Fate attenzione che la superficie d'appoggio sia abbastanza grande a garantire la stabilità.

5 Rücken- und Seitenflossen herausziehen und ansetzen. Den Rücken und den Bauch blau, anschliessend schwarz spritzen.

5 Pull out and attach the dorsal and lateral fins. Spray the back and the belly blue, then black.

5 Tirer les nageoires du dos et des côtés et les appliquer. Pulvériser le dos et le ventre en bleu et ensuite en noir.

5 Tirare fuori le pinne dorsali e laterali ed attaccarle. Verniciare a spruzzo la schiena e la pancia prima di blu e dopo di nero.

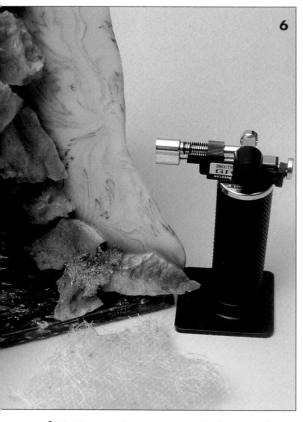

6

7

7 Für die Pflanzen werden grüne Blätter gemäss Buch 1 Seite 72 spitzig gezogen, seitlich zusammengedrückt und leicht nach unten gebogen. 25 bis 30 Stück sternartig arrangieren.

7 As plants use green leaves (see book 1, page 72), pulled into a pointed shape, pressed together at the sides and slightly pulled downwards. Arrange 25-30 pieces in star shapes.

7 Pour les plantes, nous prenons des feuilles vertes (voir livre 1, page 72) qui sont tirées en pointe, serrées de côté et légèrement pliées vers le bas. Arranger 25 à 30 pièces en forme d'étoile.

7 Per le piante, tirare foglie verdi a punta, come nel libro 1 pagina 72, serrarle lateralmente e curvarle leggermente verso il basso. Sistemare tra 25 e 30 foglie a forma di stella.

6 Als Moos werden gesponnener, leicht grün gefärbter Zucker oder Perlen gemäss Buch 1 Seite 162 häufchenweise auf den Felsenzucker gelegt und mit dem Mikro-Torch leicht geschmolzen.

6 As moss, use spun sugar or pearls, slightly tinted green (see book 1, page 162), which can be placed in small piles on the rock sugar and slightly melt with the micro torch.

6 Comme mousse, nous nous servons de sucre filé ou de perles légèrement teints en vert (voir livre 1, page 162) qui sont déposés en petits tas sur le sucre roche et légèrement fondus avec la microtorche.

6 Come muschio prendere dello zucchero filato o perle, colorati leggermente di verde (vedi libro 1, pagina 162), posarne mucchietti sullo zucchero roccia e fonderli leggermente con il Mikro-Torch.

8

8 Mit zerbrochenen Zuckerscheiben das plätschernde Wasser um den Delphin herum imitieren.

8 Use broken slates of sugar to imitate the water lapping around the dolphins.

8 Imiter le clapotis de l'eau autour du dauphin avec des tranches de sucre brisées.

8 Prendere delle lastre di zucchero rotte per imitare l'acqua schizzante attorno al delfino.

DELPHIN-GRUNDFORM
BASIC SHAPE OF THE DOLPHIN
FORME DE BASE DU DAUPHIN
FORMA DI BASE DEL DELFINO

1 Zuckerkugel gleichmässig dehnen, oben etwas erwärmen und von allen Seiten zusammendrücken.

1 Pull a ball of sugar evenly, heat slightly at the top and press together on all sides.

1 Dilater régulièrement une boule de sucre, réchauffer légèrement en haut et serrer de tous les côtés.

1 Dilatare regolarmente una palla di zucchero, riscaldarla leggermente in alto e serrare da tutti i lati.

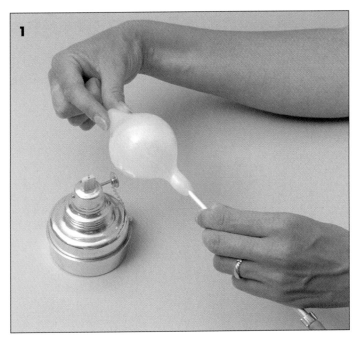

3 Mit der Schere die Stirne einkerben.

3 Use scissors to notch the forehead.

3 Entailler le front avec des ciseaux.

3 Con le forbici intagliare la fronte.

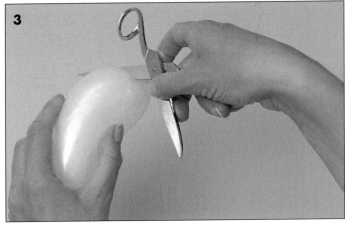

2 Weiter dehnen und in die Länge ziehen. Den schnabelartigen Mund leicht nach oben biegen.

2 Pull again and stretch the ball lengthways. Bend upwards slightly to form the beak-shaped mouth.

2 Dilater encore et tirer en longueur. Plier légèrement vers le haut la bouche en forme de bec.

2 Continuare a dilatare e tirare in lungo. Curvare leggermente in alto la bocca a forma di becco.

4 Bei offenem Mund wird diese Stelle zuerst beidseitig erwärmt und mit der Spitze der Schere vorsichtig eingeschnitten.

4 Should the mouth be open, warm up this part first of all and cut carefully with the point of the scissors.

4 Pour former la bouche ouverte, réchauffer en premier lieu cet endroit des deux côtés et inciser avec précaution avec la pointe des ciseaux.

4 Per formare la bocca aperta, riscaldare prima questa zona da entrambi i lati ed intagliare poi con la punta delle forbici.

5 Sobald der Delphine abgekühlt und von der Metallkanüle entfernt ist, wird diese Ansatzstelle nochmals mit dem Spiritusbrenner erwärmt, 2 cm tief mit der Spitze der Schere eingeschnitten und daraus die Schwanzflossen modelliert. Zum Schluss ein wenig einschneiden.

5 As soon as the dolphin has cooled down and has been removed from the metal tube, heat the point of attachment once more with the methylated spirits burner and make a 2 cm cut with the point of the scissors to model the tail fins. Afterwards make a small notch.

5 Dès que le dauphin est refroidi et séparé de la canule en métal, réchauffer une nouvelle fois cette jointure avec la lampe à alcool, modeler ensuite les nageoires de queue en incisant de 2 cm avec la pointe des ciseaux. Pour finir, encocher légèrement.

5 Appena il delfino è raffreddato e staccato dalla cannula, riscaldare ancora una volta questa attaccatura con la lampada a spirito, intagliare di 2 cm con la punta delle forbici e modellarne la pinna caudale. Alla fine intaccare leggermente.

6 Um den Delphin möglichst gleichmässig malen zu können, empfiehlt es sich, ihn in Klarsichtfolie zu fixieren. Dies ist bedeutend einfacher, als wenn er bereits am Schaustück aufgesetzt ist.

6 To paint the dolphin as regularly as possible it is recommended to place it on a sheet of cellophane. This is much easier than painting it when it is already attached to the showpiece.

6 Afin de pouvoir peindre régulièrement le dauphin, il est recommandé de le fixer sur une feuille de cellophane. Ceci est beaucoup plus simple que s'il est déjà fixé à la pièce.

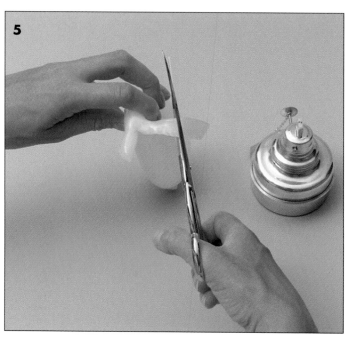

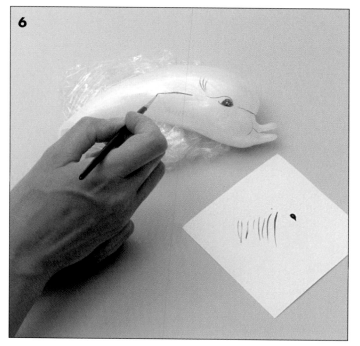

6 Per poter dipingere il delfino regolarmente, conviene fissarlo su un foglio trasparente. È molto più facile dipingerlo in questo modo che se già applicato sull'oggetto da mostra.

MR. FABILO SAGT:
Um eine elegante Grundform zu erhalten, muss beim Schritt Nr. 2 in wenigen Sekunden die Kugel in die Länge gezogen werden. Dadurch wird die Delphin-Grundform oben breit und unten schmal.

MR. FABILO SAYS:
To obtain an elegant basic shape, the ball of sugar must be pulled out lengthways within a few seconds during step 2. This way, the basic shape of the dolphin will be wide at the top and narrow towards the tail.

MR. FABILO DIT:
Pour obtenir une forme de base élégante, il faut que la boule soit tirée en longueur en peu de secondes lors de l'opération 2. De cette manière, la forme de base du dauphin est large en haut et étroite en bas.

MR. FABILO DICE:
Per ottenere un'elegante forma di base, nel passo n° 2 la palla dev'essere tirata in lungo solo in pochi secondi. In questo modo la forma di base del delfino diventa larga sopra e slanciata sotto.

B-TENOR-SAXOPHON

THE TENOR SAXOPHONE

LE SAXOPHONE TÉNOR

IL SASSOFONO TENORE

«Nur wer es gespielt hat, kennt das Erlebnis», schwärmen Musiker vom B-Tenor-Saxophon. Die Zuckerartisten könnten fast dasselbe darüber sagen: «Nur wer ein Saxophon aus einer Kugel geblasen hat, kennt das Erlebnis.» In der Tat ist es doch äusserst anspruchsvoll, ein Saxophon aus einer Kugel gleichmässig zu dehnen und dabei das Objekt so zu beherrschen, dass es dort dehnt wo man es will. In dieser Lektion erhalten Sie Schritt für Schritt die nötigen Erklärungen dazu, damit das nächste B-Tenor-Saxophon auch für Sie und Ihre Kundschaft zum Erlebnis wird.

«Only those who have played it know how it feels» is what musicians say about the tenor saxophone. Sugar artists could almost say the same: «only those who have blown a saxophone from a ball of sugar know how it feels». It is indeed a real challenge to form a saxophone from a single ball of sugar, calling for complete mastery of the art of pulling the mass exactly how and where you want. This lesson gives step-by-step instructions, so that the next tenor saxophone will be an adventure, both for you and your customers.

«Seul celui qui en a joué peut en témoigner», disent les musiciens du saxophone ténor. Les artistes du sucre peuvent en dire la même chose: «Seul celui qui a soufflé un saxophone d'une boule peut en témoigner.» Dans les faits, il est très exigeant de dilater un saxophone d'une seule boule de manière régulière et de posséder le savoir-faire afin d'obtenir la dilatation là où on la veut. Dans cette leçon, vous obtiendrez pas à pas les explications nécessaires afin que le prochain saxophone ténor soit une aventure pour vous-même ainsi que pour votre clientèle.

«Solo chi l'ha suonato, ha provato la sensazione», dicono i musicisti del sassofono tenore. Gli artisti dello zucchero possono dirne quasi la stessa cosa: «Solo chi ha soffiato un sassofono da una palla di zucchero, ha provato la sensazione». Infatti richiede molta bravura dilatare regolarmente un sassofono da una palla di zucchero e avere abbastanza padronanza sull'oggetto, affinché si dilati dove se lo vuole. In questa lezione ricevete passo per passo le spiegazioni necessarie, affinché il prossimo sassofono tenore faccia anche sensazione a voi e alla vostra clientela.

1 Den Boden, den Hintergrund mit den Stützen und das Podest mit geschlämmtem Zucker oder mit Perlen giessen. Für den Marmoreffekt etwas rote und blaue Lebensmittelfarbe und Goldbronze beifügen.

1 Cast the floor, the background with supports and the pedestal with opaque sugar or pearls. To obtain the marbled effect, add some red and blue food colouring and gold dust.

1 Couler le fond, l'arrière-plan avec les tuteurs et l'estrade avec du sucre opaque ou des perles. Pour obtenir l'effet marbré, ajouter un peu de couleur alimentaire rouge et bleue ainsi que du bronze d'or.

1 Colare il fondo, lo sfondo con gli appoggi ed il podio con zucchero opaco o perle. Per ottenere l'effetto marmorato, aggiungere un po' di colore alimentare rosso e blu e del bronzo dorato.

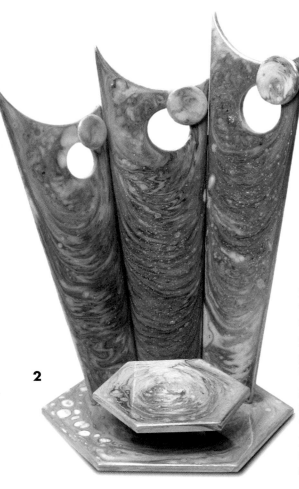

2 Die Elemente des Hintergrundes werden bewusst zusammengefügt, um die Stabilität zu erhöhen.

2 The background elements are purposely joined together to increase stability.

2 Les éléments de l'arrière-plan sont rassemblés sciemment afin d'augmenter la stabilité.

2 Gli elementi dello sfondo vengono uniti apposta per aumentare la stabilità.

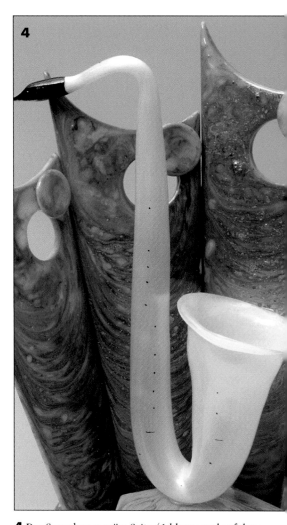

4 Das Saxophon gemäss Seite 41 blasen und auf dem Podest mit einer kleinen Kugel befestigen. Zur grösseren Sicherheit wird es auch beim Trichter und beim Mundstück mit dem Mikro-Torch am Hintergrund befestigt. Die Position der Klappen und Bänder mit einem Punkt kennzeichnen. Das Mundstück malen.

4 Blow the saxophone (see page 41) and attach to the pedestal with a small ball. To increase stability, also attach to the background at the flared end (bell) of the instrument and at the mouthpiece with a micro torch. Mark out the positions of the valves and rings. Paint the mouthpiece.

4 Souffler le saxophone (voir page 41) et le fixer sur l'estrade avec une boule. Pour plus de sécurité, le fixer encore près du pavillon et de l'embouchure à l'arrière-plan avec la microtorche. La position des clapets et des bandes est marquée par un point. Peindre l'embouchure.

4 Soffiare il sassofono come a pagina 41 e fissarlo sul podio con una piccola palla. Per una maggiore sicurezza fissare la tromba e l'imboccatura con il Mikro-Torch allo sfondo. Contrassegnare la posizione delle chiavette e degli anelli. Dipingere l'imboccatura.

3 Mit den Stützen hinten zusätzlich verstärken.

3 Stability is further increased by placing supports behind the background.

3 Renforcer de surcroît l'arrière avec les tuteurs.

3 Rinforzare inoltre dietro con gli appoggi.

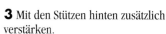

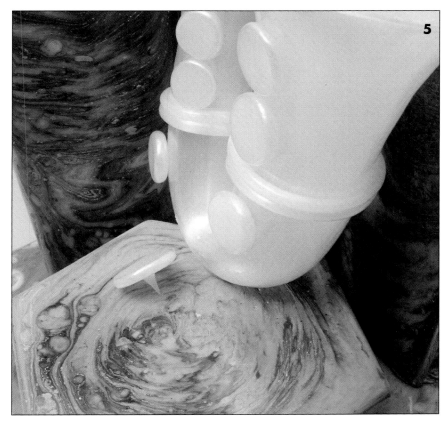

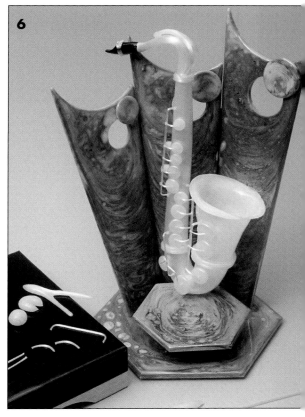

5 Die Bänder, aus einer Stange gezogen, noch im warmen Zustand ansetzen. Für die Klappen werden Kugeln flach modelliert und im kalten Zustand mit einem Keil befestigt.

5 Pull the rings from a bar, and attach them while still warm. For the valves, model small balls into flat discs and attach with a wedge when cold.

5 Fixer les bandes, tirées d'une barre, et les appliquer encore chaudes. Modeler des boules à plat pour les clapets et les appliquer à froid avec un coin.

5 Applicare ancora caldi gli anelli tirati da una barra. Per le chiavette appiattire delle palle di zucchero e fissarle fredde con un cuneo.

6 Die Verbindungsstäbe aus einem Keil rundziehen, abkühlen lassen und auf die gewünschte Länge zuschneiden. Durch geringes Wiedererwärmen biegen und gemäss Abbildung ansetzen.

6 Pull the connecting pieces from a wedge, leave to cool and cut to the desired length. Bend by heating slightly, then attach as illustrated.

6 D'un coin, tirer en rond les baguettes de communication, les laisser refroidir et les couper à la longueur voulue. Les courber par un faible réchauffement et les appliquer comme sur l'illustration.

6 Da un cuneo tirare a forma rotonda le bacchette di raccordo, lasciarle raffreddare e tagliarle alla lunghezza desiderata. Curvarle riscaldandole leggermente ed attaccarle come nell'immagine.

7 Podest und Boden mit Klarsicht-folie abdecken und mit Goldbronze, im Alkohol aufgelöst, bemalen.

7 Cover the pedestal and base with cellophane and paint the instrument with gold dust, diluted in alcohol.

7 Recouvrir l'estrade et le fond avec une feuille de cellophane et peindre avec du bronze d'or dilué dans l'alcool.

7 Ricoprire il podio ed il fondo con un foglio trasparente e dipingere lo strumento con del bronzo dorato diluito nell'alcool.

MR. FABILO SAGT:
Ein richtiges B-Tenor-Saxophon weist viel mehr Klappen, Ventile und Verbindungsstäbe auf. Bei einer Produktionszeit von maximal vier Stunden muss aber für die Umsetzung eine Vereinfachung in Kauf genommen werden.

MR. FABILO SAYS:
A real tenor saxophone has far more valves and connecting pieces. However, with a maximum production time of four hours at our disposal, we must be prepared to make some simplifications.

MR. FABILO DIT:
Un vrai saxophone ténor a beaucoup plus de clapets, soupapes et baguettes de communication. Mais pour un temps de production de quatre heures au maximum pour la réalisation, il faut passer par une certaine simplification.

MR. FABILO DICE:
Un vero sassofono tenore ha molte più chiavette, valvole e bacchette di raccordo. Ma in un tempo di realizzazione di massimo quattro ore bisogna dover semplificare.

8 Mit schwarz-weissen, streifenartig gezogenen Bändern gemäss Buch 1 Seite 66 und zart rosa und blauen geblasenen Kugeln gemäss Buch 1 Seite 78 dekorieren.

8 Decorate with black and white striped ribbons (see book 1, page 66) and pale pink and blue balls (see book 1, page 78).

8 Décorer avec des bandes noir-blanc, tirées en rayures (voir livre 1, page 66) et des boules soufflées en rose tendre et en bleu (voir livre 1, page 78).

8 Decorare con nastri tirati e striati color bianco e nero (vedi libro 1, pagina 66) e con palle soffiate color rosa pallido e azzurro (vedi libro 1, pagina 78).

SAXOPHON-GRUNDFORM
SAXOPHONE BASIC SHAPE
FORME DE BASE DU SAXOPHONE
FORMA DI BASE DEL SASSOFONO

1 Grosse Zuckerkugel ansetzen und vorsichtig tropfenförmig blasen. Die Wandung muss unten wie oben überall dieselbe Dicke aufweisen.

1 Attach the large ball of sugar and blow carefully into the form of a drop. The walls must be of uniform thickness at the top and bottom.

1 Préparer une grosse boule en sucre et souffler précautionneuse-ment en forme de goutte. La paroi doit avoir la même épaisseur en haut et en bas.

1 Preparare una grande palla di zucchero e soffiare con cautela a forma di goccia. Le pareti devono avere ovunque lo stesso spessore, sia sopra che sotto.

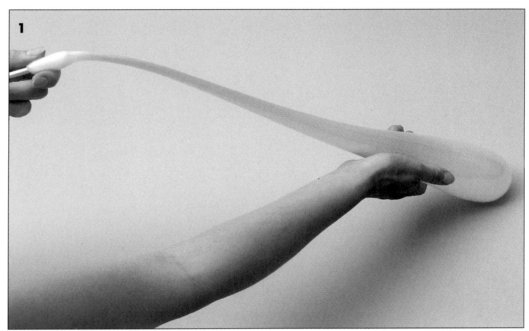

2 Vor dem Biegen des Trichters wird diese Fläche mit dem Fön erwärmt, um unnötige Falten zu verhindern.

2 Before bending the bell of the instrument, warm the surface with the hairdryer to avoid unnecessary creases.

2 Avant de courber le pavillon, réchauffer cette surface avec le sèche-cheveux afin d'éviter des plis inutiles.

2 Prima di curvare la tromba, riscaldare questa superficie con l'asciugacapelli per evitare pieghe inutili.

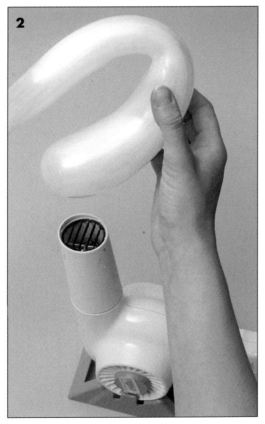

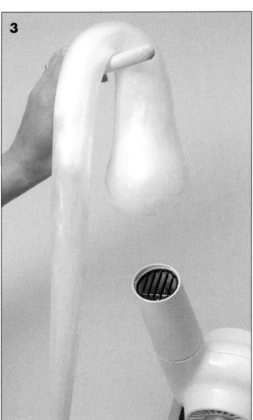

3 Biegestelle mit einer Holzkelle festhalten und abkühlen. Danach wird das Ende des Trichters wieder erwärmt und zur gewünschten Grösse gedehnt.

3 Hold the bent part over a wooden spoon and allow to cool. Afterwards heat the bell once more and shape as desired.

3 Maintenir la partie à courber avec une spatule en bois et refroidir. Ensuite, réchauffer à nouveau la fin du pavillon et la dilater à la grandeur voulue.

3 Mantenere la parte curvata con un cucchiaio di legno e raffreddare. Dopo riscaldare di nuovo la fine della tromba e dilatare alla grandezza desiderata.

4 Um das Gelenk des Mund-
stückes zu formen, wird die
abgekühlte Röhre wieder mit dem
Fön gleichmässig erwärmt.

4 To form the link to the mouthpiece, warm the cooled tubes with
the hairdryer.

4 Pour former l'articulation de
l'embouchure, réchauffer à
nouveau le tuyau préalablement
refroidi avec le sèche-cheveux.

4 Per formare l'articolazione
dell'imboccatura, riscaldare di
nuovo regolarmente il tubo
raffreddato con l'asciugacapelli.

5 Metallkanüle vorsichtig
entfernen. Die Ansatzstelle bildet
anschliessend das Mundstück.

5 Carefully remove the metal tube.
The tip of the mass will later form
the mouthpiece.

5 Détacher avec précaution la
canule en métal. La jointure forme
plus tard l'embouchure.

5 Staccare con cautela la cannula
di metallo. L'attaccatura formerà
dopo l'imboccatura.

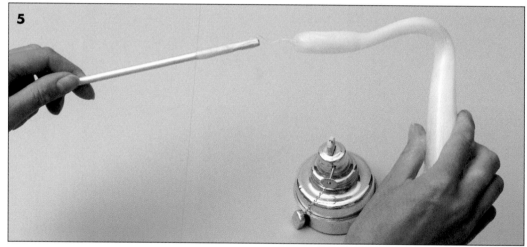

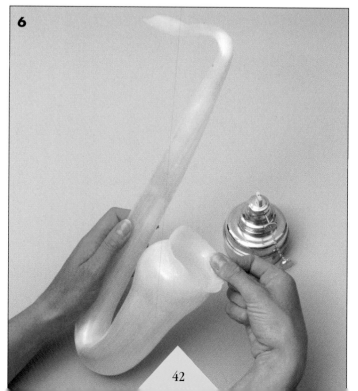

6 Das abgekühlte Ende des Trichters mit dem Spiritusbrenner
erwärmen und durch vorsichtiges
Ziehen den Trichterrand nach
aussen modellieren.

6 Warm the cooled-off end of the
bell with the methylated spirits
burner and model outwards by carefully pulling the edge of the bell.

6 Réchauffer avec la lampe à
alcool la fin du pavillon refroidi,
tirer avec précaution le bord du
pavillon vers l'extérieur et le modeler.

6 Riscaldare la fine della tromba
con la lampada a spirito e, tirando
con cautela, modellare il bordo
della tromba verso l'esterno.

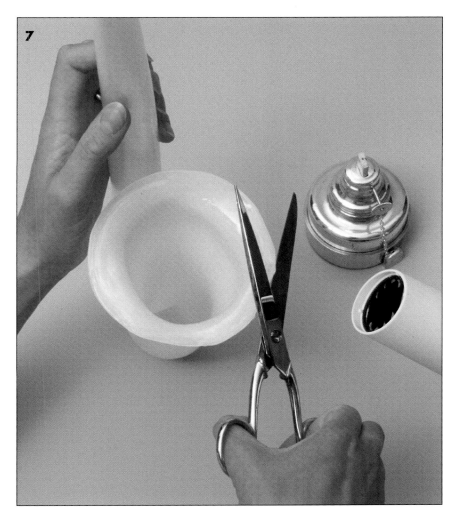

7 Zum Erwärmen kann auch der Fön beigezogen werden. Am Schluss wird der Trichterrand mit der Schere exakt zugeschnitten.

7 You can also use the hairdryer to warm up. Afterwards cut the edge of the bell regularly, using the scissors.

7 Pour réchauffer, on peut aussi se servir du sèche-cheveux. A la fin, couper exactement le bord du pavillon avec les ciseaux.

7 Per riscaldare può essere usato anche l'asciugacapelli. Alla fine tagliare esattamente il bordo della tromba con le forbici.

MR. FABILO SAGT:
Das Dehnen eines Saxophons aus einer Kugel ist ein Spiel zwischen Abkühlen und Erwärmen. Nur schon die geringste Unachtsamkeit führt zum Bruch oder zur Blasen-bildung.

MR. FABILO SAYS:
Pulling a saxophone from a ball of sugar is a balancing act between cooling and warming. The slightest inattention can lead to breakage or the formation of bubbles.

MR. FABILO DIT:
La dilatation d'un saxophone est un jeu entre refroidir et réchauffer. La moindre inattention conduit à la rupture ou à la formation de bulles.

MR. FABILO DICE:
La dilatazione di un sassofono da una palla è un gioco tra raffreddare e riscaldare. Già la minima disat-tenzione porta alla rottura o alla formazione di bolle.

SCHILDKRÖTEN AUF ENTDECK-UNGSREISE

TORTOISES ON A VOYAGE OF DISCOVERY

TORTUES EN VOYAGE DE DÉCOUVERTE

TARTARUGHE IN VIAGGIO D'ESPLORAZIONE

Alles Schöne ist einfach und alles Einfache ist schön, jedoch nicht unbedingt einfach aus Kristallzucker zu blasen. Voraussetzung für diese Zuckerfigur ist das absolute Beherrschen des Zuckerblasens. Nur der geringste Wärmeunterschied bei der Kugel wird es verunmöglichen, den Rückenpanzer zu dieser Grösse mit gleichmässiger Wandung zu dehnen.

All that is beautiful is simple and all that is simple is beautiful – but blowing shapes from granulated sugar is a little less simple. The creation of this sugar figure calls for absolute mastery of sugar blowing. The slightest difference in temperature while forming the ball will make it impossible to shape the shell regularly to this size.

Tout ce qui est beau est simple et tout ce qui est simple est beau, mais n'est toutefois pas aussi simple à souffler en sucre cristallisé. La condition préalable pour réaliser cette figure en sucre est l'absolue maîtrise du soufflage du sucre. La moindre différence de température lors de la confection de la boule rend impossible la dilatation de la carapace appropriée à la régularité de la paroi.

Tutte le cose belle sono semplici e tutte le cose semplici sono belle, ma non sono per forza semplici a soffiare di zucchero cristallino. Premessa per questa figura di zucchero è l'assoluta padronanza del soffiamento di zucchero. Già la minima differenza di temperatura nella creazione della palla rende impossibile dilatare la corazza a questa grandezza mantenendo lo spessore delle pareti regolare.

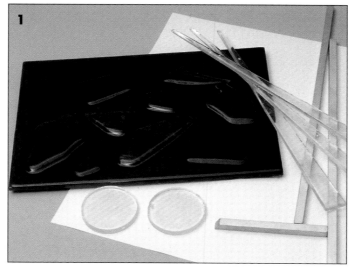

1 Den Boden, die Stützen für die Blumendekoration und die Unterlage für den Panzer giessen.

1 Cast the ground, the supports for the flower decoration and the base for the shell.

2 Den Schildkrötenpanzer gemäss Seite 49 blasen und auf der Unterlage am Boden mit dem Mikro-Torch befestigen. Als Stütze für den kleineren Panzer ein Metallröhrchen hineinschmelzen, das bis zur Unterlage reicht.

2 Blow the tortoise shell (see page 49) and attach to the base on the ground with the micro torch. To support the smaller shell, insert a small metal tube into the mass while still warm. This metal tube should reach the ground.

1 Couler le fond, les tuteurs pour la décoration florale ainsi que la base pour la carapace.

1 Colare il fondo, gli appoggi per la decorazione dei fiori e la base per la corazza.

2 Souffler la carapace (voir page 49) et la fixer sur la base du fond avec la microtorche. Comme soutien pour la plus petite carapace, fondre à l'intérieur un petit tuyau en métal qui arrivera jusqu'à la base.

2 Soffiare la corazza come a pagina 49 e fissarla con il Mikro-Torch sulla base del fondo. Come appoggio per la corazza più piccola fondere nella corazza grande un tubicino che tocchi la base.

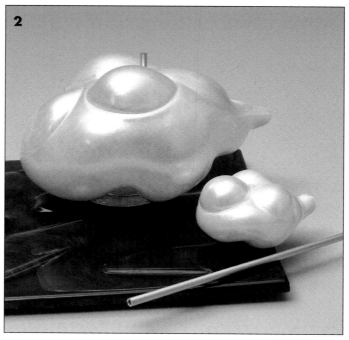

3 Das Gewicht des zweiten Rückenpanzers muss zu 100 % durch das Metallröhrchen gestützt werden. Die Beine gemäss Seite 50 blasen und ansetzen. Für den Schwanz eine Kugel ansetzen und abziehen.

3 The entire weight of the second shell must be supported by the metal tube. Blow the legs (see page 50) and attach them. To form the tail, attach and pull a ball of sugar.

3 Le poids de la seconde carapace devra être soutenu à 100 % par le petit tuyau en métal. Souffler les pattes (voir page 50) et les fixer. Appliquer une boule pour la queue et retirer.

3 Tutto il peso della seconda corazza dev'essere sostenuto da questo tubicino di metallo. Soffiare le gambe come a pagina 50 ed applicarle. Per la coda attaccare una palla e tirare.

4 Die Köpfe gemäss Seite 51 blasen, Nase aufsetzen und malen. Der Kopf der grossen Schildkröte wird vom Boden gestützt. Verbindungsstelle zum Rückenpanzer mit einer warmen Zuckerstange abdecken und sofort einkerben.

4 Blow the heads of the tortoises (see page 51). Attach and paint the noses. The head of the larger tortoise must be supported from the ground. Conceal the connection to the shell with a warm bar of sugar and notch immediately.

4 Souffler les têtes (voir page 51), appliquer les nez et les peindre. La tête de la grande tortue est soutenue par le fond. Recouvrir les jointures vers la carapace avec une barre en sucre chaud et entailler immédiatement.

4 Soffiare le teste come a pagina 51, applicare i nasi e dipingerle. La testa della tartaruga grande viene sostenuta dal fondo. Ricoprire l'attaccatura tra testa e corazza con una bacchetta calda di zucchero ed intagliare subito.

5 Alle Körperteile mit Klarsichtfolie abdecken und die Rückenpanzer mit dem Airbrush zart rosa spritzen.

5 Cover all the parts of the body with cellophane and spray the shells soft pink with the airbrush.

5 Recouvrir toutes les parties du corps avec une feuille de cellophane et pulvériser la carapace en rose tendre avec l'airbrush.

5 Ricoprire tutte le parti del corpo con una foglia trasparente e con l'airbrush colorare la corazza di rosa pallido.

6 Anschliessend das ganze Schaustück blau spritzen. Die Panzer werden violett und die Körperteile erscheinen grün. Kopfbedeckungen gemäss Abbildung ansetzen.

6 Now spray the whole showpiece blue. The shells will turn violet and the parts of the body will turn green. Add the hats as illustrated.

6 Pulvériser ensuite toute la pièce en bleu. Les carapaces deviennent violettes et les parties du corps apparaissent vertes. Les couvre-chefs sont à fixer comme sur l'illustration.

6 In seguito verniciare a spruzzo tutto l'oggetto da mostra di blu. Le corazze diventano viola, e le parti del corpo verde. Attaccare i copricapi come nell'immagine.

7 Die Spitzen der Stützen, welche später die Blumendekoration tragen, mit der Schere abschneiden und stabil verkeilt aufsetzen.

7 Cut the points of the supports for the flower decoration with the scissors and attach firmly, wedging them closely together.

7 Les extrémités des tuteurs, qui porteront plus tard la décoration florale, sont à couper avec des ciseaux et à fixer calés de manière stable.

7 Tagliare via con le forbici le punte degli appoggi che reggeranno più tardi la decorazione di fiori e attaccare gli appoggi incastrandoli in maniera stabile.

MR. FABILO SAGT:
Gut verkeilte Stützen machen das Schaustück transportsicher!

MR. FABILO SAYS:
Closely wedged supports will make the showpiece transport-proof!

MR. FABILO DIT:
Des tuteurs calés de manière stable assurent la sécurité lors du transport de la pièce!

MR. FABILO DICE:
Appoggi incastrati bene rendono sicuro l'oggetto da mostra durante il trasporto!

8 Sämtliche Stützen mit Holzzucker, siehe Buch 1 Seite 158, einfassen.

8 Cover all the supports with wood sugar (see book 1, page 158).

8 Border tous les tuteurs avec du sucre bois (voir livre 1, page 158).

8 Coprire tutti gli appoggi con zucchero legno (vedi libro 1, pagina 158).

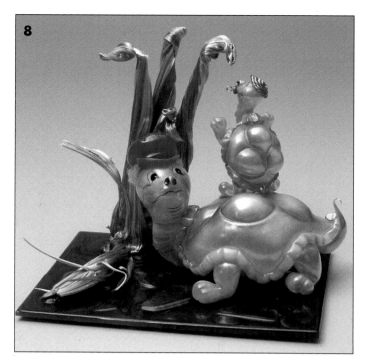

9 Für die Blumen werden je fünf Blütenblätter, gemäss Buch 1 Seite 107, Bilder 9–12, zusammengesetzt. Das Blütenzentrum mit gesponnenem Zucker gemäss Buch 1 Seite 162, imitieren und mit dem Airbrush leicht rot spritzen.

9 To make the flowers, assemble five petals (see book 1, page 107, illustrations 9-12). Imitate the heart of the flower with spun sugar (see book 1, page 162) and lightly spray red with the airbrush.

9 Assembler pour les fleurs cinq pétales (voir livre 1, page 107, illustrations 9 à 12). Imiter le centre de la pétale avec du sucre filé (voir livre 1, page 162) et pulvériser légèrement en rouge avec l'airbrush.

9 Per fare i fiori, unire sempre cinque petali (vedi libro 1, pagina 107, immagini 9-12). Imitare il centro del fiore con zucchero filato come nel libro 1, pagina 162 e colorarlo leggermente di rosso con l'airbrush.

10 Zuckersand gemäss Seite 143 herstellen und im feuchten Zustand unregelmässig über den Boden des Schaustückes verteilen. Blätter und Blumen nach eigener Phantasie arrangieren.

10 Prepare some sugar sand (see page 143) and sprinkle this irregularly over the ground while still moist. Arrange flowers and leaves according to your own imagination.

10 Confectionner du sucre sable (voir page 143) légèrement humide et le répartir sur le fond de la pièce. Arranger feuilles et fleurs selon sa propre fantaisie.

10 Preparare dello zucchero sabbia come a pagina 143 e ancora umido spargerlo irregolarmente sul fondo dell'oggetto da mostra. Sistemare le foglie ed i fiori secondo la propria fantasia.

DER RÜCKENPANZER
THE SHELL
LA CARAPACE
LA CORAZZA

1 Grosse Zuckerkugel ansetzen und mit viel Feingefühl vorsichtig und gleichmässig dehnen. Holz-kellen, nichtklebende Giessmatte und runde Ausstecher müssen bereitliegen.

1 Take a large ball of sugar and pull evenly and very carefully. Wooden spoons, a non-adhesive casting mat and round cutters must be ready for use.

1 Préparer une grosse boule de sucre et la dilater précautionneu-sement et régulièrement avec beaucoup de doigté. Spatules en bois, toile antiadhésive et formes rondes sont prêtes à l'emploi.

1 Prendere una grande palla di zucchero e con cautela dilatarla regolarmente. Preparare dei cucchiai di legno, una tela anti-adesiva e degli stampini rotondi.

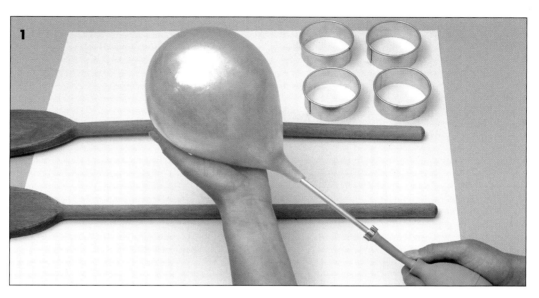

2 Mit Entschlossenheit die eiför-mige Kugel auf die Griffe der Holz-kellen legen, mit beiden Händen die Ausstecher für wenige Sekunden kräftig herunterdrücken und gleichzeitig mit dem Mund in Inter-vallen blasen.

2 Place the egg-shaped ball of sugar steadily onto the handles of the wooden spoons. Firmly press the cutters downwards for a few seconds, using both hands. At the same time blow with the mouth from time to time.

2 Poser résolument la boule en forme d'œuf sur les manches des spatules en bois, appuyer forte-ment des deux mains sur les dé-coupoirs durant quelques secondes et souffler en même temps avec la bouche dans les intervalles.

2 Posare risolutamente la palla a forma di uovo sui manici dei cucchiai, pressare fortemente con tutte e due le mani le stampini verso il basso per pochi secondi e nello stesso tempo soffiare con la bocca a intervalli.

3 Die Holzkellen sorgen für die Beinausschnitte im Panzer.

3 The wooden spoons are used to form the notches for the legs.

3 Les spatules en bois sont là pour les entailles des pattes dans la carapace.

3 I cucchiai formano nella corazza gli intagli per le gambe.

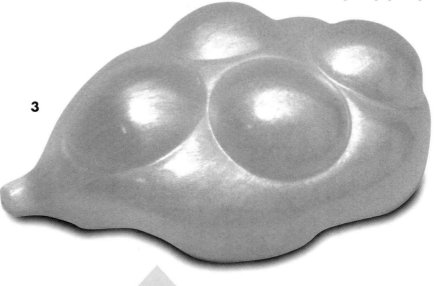

BEINE MIT FÜSSEN
LEGS AND FEET
PATTES AVEC PIEDS
GAMBE CON ZAMPE

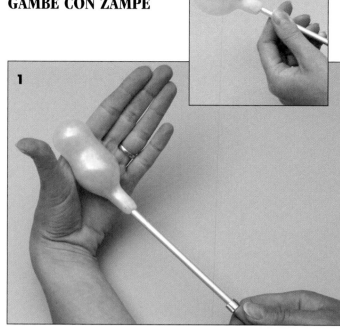

1 Aus einer gleichmässig gedehnten Kugel eine zweite formen.

1 Take an evenly pulled ball of sugar and form a second ball out of it.

1 D'une boule, par une dilatation régulière, en former une seconde.

1 Dilatare una palla regolarmente e formarne una seconda.

MR. FABILO SAGT:
Die zweite Kugel muss dieselbe Dicke der Wandung haben wie die erste.

MR. FABILO SAYS:
The walls of the second ball must be as thick as those of the first ball.

MR. FABILO DIT:
La seconde boule doit avoir la même épaisseur de paroi que la première.

MR. FABILO DICE:
Le pareti della seconda palla devono essere spesse come quelle della prima.

2 Für die Füsse mit der Schere zweimal einkerben.

2 Shape the feet by making two notches with the scissors.

2 Pour les pieds, entailler deux fois avec les ciseaux.

2 Per formare i piedi, intagliare due volte con le forbici.

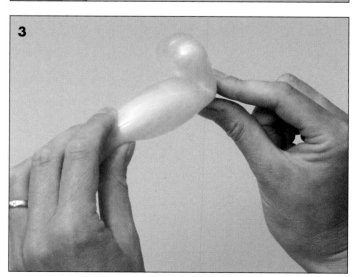

3 Die Fersen 90° biegen, leicht abkühlen und direkt ansetzen.

3 Make a 90° bend to form the heels, cool slightly and attach at once.

3 Courber les talons à 90°, refroidir légèrement et appliquer directement.

3 Curvare i talloni rispettando un angolo di 90°, raffreddare leggermente ed attaccare direttamente.

KOPF MIT HALS
HEAD AND NECK
TÊTE AVEC COU
TESTA E COLLO

1 Aus einer gleichmässig gedehnten Kugel den unteren Teil in die Länge ziehen.

1 Take an evenly pulled ball of sugar and pull the lower part lengthways.

1 D'une boule dilatée régulièrement, tirer la partie inférieure en longueur.

1 Da una palla dilatata regolarmente tirare in lungo la parte inferiore.

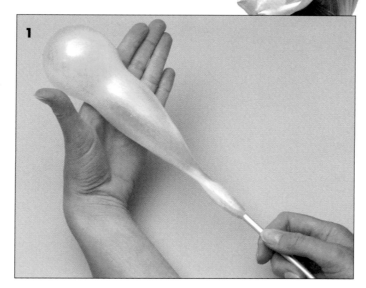

2 Unverzüglich das Gesicht formen und die Backen mit einem Ausstecher betonen.

2 Shape the face immediately and mark the cheeks with a cutter.

2 Former immédiatement le visage et marquer les joues avec un découpoir.

2 Formare subito il viso e rilevare le guance con uno stampino.

3 Den Kopf abkühlen, dann den Hals wieder mit dem Fön erwärmen, bis die mit der Schere geformten Rillen schön zur Geltung kommen.

3 Cool the head, then warm up the neck with the hairdryer until the grooves made with the scissors become noticeable.

3 Refroidir la tête, ensuite réchauffer à nouveau le cou avec le sèche-cheveux jusqu'à ce que les rainures formées avec les ciseaux apparaissent bien.

3 Raffreddare la testa e riscaldare di nuovo il collo con l'asciugacapelli finché risaltino le scanalature formate con le forbici.

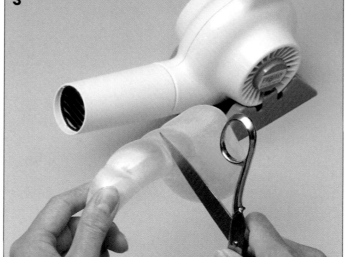

MR. FABILO SAGT:
Sollte der Kopf nicht vollständig abgekühlt sein, würden beim Dehnen für die Halsrillen die Proportionen ausser Kontrolle geraten.

MR. FABILO SAYS:
The head should be completely cooled, otherwise the proportions will become distorted when pulling to create the grooves on the neck.

MR. FABILO DIT:
Si la tête n'est pas complètement refroidie, les proportions échappent à tout contrôle lors de la dilatation des rainures du cou.

MR. FABILO DICE:
Se la testa non è completamente fredda, le proporzioni sfuggono al controllo mentre state dilatando le scanalature del collo.

GRÜSSE AUS HOLLAND

GREETINGS FROM HOLLAND

SALUTATIONS DE HOLLANDE

SALUTI DALL'OLANDA

Gast-Zuckerartist:
Adam Bruggemann,
Innsbruck, Österreich

Guest sugar artist:
Adam Bruggemann, Innsbruck,
Austria

Artiste du sucre invité:
Adam Bruggemann, Innsbruck,
Autriche

Artista dello zucchero invitato:
Adam Bruggemann, Innsbruck,
Austria

1 Die weiten Tulpen- und Gladiolenfelder der Niederlande begeistern mich auch als Holländer jeden Frühling aufs neue.

Mit derselben Begeisterung wie ich die Natur erlebe, betreibe ich die Zuckerartistik, ein Handwerk, das ich vor Jahren «nur» als Hobby erlernte, das aber heute immer mehr zu meinem Beruf wird. Es fasziniert mich besonders, auch die einfachen Dinge des Alltags und der Natur dreidimensional mit vernünftigem Aufwand zu verwirklichen. Deshalb setzte ich alles daran, dieses tolle Handwerk in Österreich weiter aufblühen zu lassen.

Das folgende Schaustück stammt aus meinem Geburtsland Holland, wo der Klompen (Holzschuh) auch heute noch im alltäglichen Leben anzutreffen ist.

1 As a Dutchman, I never fail to wonder at the vast tulip and gladiolus fields which can be seen in Holland every springtime.

My lively interest in nature is equalled by my enthusiasm for sugar art, a craft which I learned some years ago, «just» as a hobby, but which today is becoming more and more my profession. I find it particularly exciting that it costs little to transform the simple things of everyday life and of nature into three-dimensional creations. For this reason I am doing my utmost to help this lovely craft flourish in Austria.

The following showpiece originates from my homeland, Holland, where even today you can still see clogs in everyday life.

1 Les vastes champs de tulipes et de glaïeuls des Pays-Bas me passionnent aussi comme Hollandais chaque printemps à nouveau.

Je vis avec la même passion la nature et l'art du sucre, métier que je n'ai appris il y a des années «que» comme hobby, mais qui devient aujourd'hui de plus en plus ma profession. Ce qui me fascine en particulier, c'est de pouvoir transformer les choses simples de tous les jours et de la nature en trois dimensions avec peu de moyens. C'est pourquoi je m'efforce de propager ce métier merveilleux en Autriche.

La pièce suivante vient de mon pays d'origine, où l'on trouve encore le sabot dans la vie quotidienne.

1 I campi estesi di tulipani e di gladioli nei Paesi Bassi mi affascinano ogni primavera di nuovo, anche essendo olandese.

Con lo stesso entusiasmo che vivo la natura, mi dedico all'arte dello zucchero, un artigianato che ho imparato anni fa «solamente» come hobby, ma che diventa oggi sempre di più la mia professione. Mi affascina soprattutto poter realizzare i semplici oggetti di tutti i giorni e della natura in tre dimensioni a poche spese. Per questa ragione m'impegno a propagare quest'arte magnifica in Austria.

Il seguente oggetto di mostra viene dal mio paese d'origine, l'Olanda, dove s'incontrano ancora oggi gli zoccoli di legno nella vita quotidiana.

2

MR. FABILO SAGT:
Bei einem Schaustück von 40 cm Länge sollte der Boden mindestens 1 cm dick sein.

MR. FABILO SAYS:
For a 40 cm-long showpiece the base should be at least 1 cm thick.

MR. FABILO DIT:
Pour une pièce de 40 cm de long, le fond doit avoir au moins 1 cm d'épaisseur.

MR. FABILO DICE:
Un oggetto di una lunghezza di 40 cm dovrebbe posare su un fondo di uno spessore minimo di 1 cm.

2 Für den Boden geschlämmten Zucker oder Perlen braun marmoriert frei ausgiessen. Kurz abkühlen lassen, am äusseren Teil der Fläche braunen Kandiszucker und einzelne Perlenkörner verteilen. Nach vollständigem Auskühlen können auf diese Art mehrere Schichten aufeinander gegossen werden. Den Holzschuh gemäss Seite 57 blasen und aufsetzen.

2 To make the base, freely cast some opaque sugar or brown marbled pearls. Leave to cool briefly and sprinkle some brown candy sugar and a few individual grains of pearls over the outer part of the flat surface. After complete cooling down, cast several more layers on top of each other in the same fashion. Blow the clog (see page 57) and attach it to the base.

2 Pour le fond, couler librement du sucre opaque ou des perles marbrés en brun. Laisser refroidir un peu; distribuer du sucre candi brun et quelques grains de perles épars sur la surface extérieure. Après un refroidissement complet, on peut de cette façon couler plusieurs couches les unes sur les autres. Souffler le sabot (voir page 57) et l'appliquer.

2 Per il fondo versare liberamente dello zucchero opaco o perle marmorati in marrone. Far raffreddare brevemente, spargere dello zucchero candito e singoli grani di perle sulla parte esterna della superficie. Dopo il raffreddamento completo possono essere colati in questo modo parecchi strati uno sopra all'altro. Soffiare lo zoccolo come a pagina 57 ed applicarlo.

3

3 Als Stütze und Stengel für die Hyazinthen eine Metallstange mit Zucker wie in Buch 1 Seite 96 überziehen und durch starkes Erwärmen bis in den Boden hinein brennen. Die Ansatzstelle verstärken.

3 As supports and stalks for the hyacinths cover some metal rods with sugar (see book 1, page 96) and fix firmly into the base through intensive heating. Reinforce the points of attachment.

3 Comme tuteurs et tiges pour les jacinthes, recouvrir une barre en métal avec du sucre (voir livre 1, page 96) et, par un fort réchauffement, les fixer dans le fond. Renforcer les jointures.

3 Come appoggio e stelo dei giacinti ricoprire di zucchero una bacchetta di metallo come nel libro 1 pagina 96 e fissarla nel fondo riscaldandola fortemente. Rinforzare l'attaccatura.

4

4 Die einzelnen Blumen der Hyazinthe gemäss Seite 58 ziehen und 25 bis 30 Stück pro Stengel rundherum ansetzen.

4 Pull the individual flowers of the hyacinth (see page 58) and place 25-30 flowers around each stalk.

4 Tirer les différentes fleurs de la jacinthe (voir page 58) et en fixer 25 à 30 par tige tout autour.

4 Tirare i singoli fiori del giacinto come a pagina 58 ed attaccarne tra 25 e 30 tutt'intorno ad ogni stelo.

6 Die Vertiefung des Holzschuhs mit grünem Zuckersand gemäss Seite 143 auffüllen. Der Zuckersand dient als weitere Stütze für die Blumenstengel, denn sobald die Feuchtigkeit entwichen ist, entsteht ein harter Block Zucker daraus.

6 Fill the inside of the clog with green sugar sand (see page 143). The sugar sand serves as an additional support for the flower stalks because, as soon as the moisture has evaporated, it will form a hard block of sugar.

5 Je nach gewünschter Position die Gladiolen gemäss Buch 1 Seite 90 vorbereiten und mit dem Mikro-Torch anbringen. Die einzelnen Stengel der Gladiolen zusätzlich mit Zuckermasse verstärken.

5 Prepare the gladioli according to their position in the showpiece (see book 1, page 90) and insert with the aid of the micro torch. The individual stalks of the gladioli can be reinforced with sugar mass.

5 Préparer les glaïeuls selon la position désirée (voir livre 1, page 90) et les placer avec la microtorche. Renforcer les différentes tiges des glaïeuls avec de la masse sucrée.

5 A seconda della posizione desiderata, preparare i gladioli secondo il libro 1 pagina 90 e applicarli con il Mikro-Torch. Rinforzare i singoli steli dei gladioli inoltre con della massa di zucchero.

6 Remplir la cavité du sabot avec du sucre sable vert (voir page 143). Le sucre sable sert de tuteur complémentaire aux tiges des fleurs, car aussitôt l'humidité partie, il forme un bloc de sucre dur.

6 Riempire la cavità dello zoccolo con dello zucchero sabbia verde come a pagina 143. Lo zucchero sabbia serve da appoggio supplementare per gli steli dei fiori, perché appena evaporata l'umidità, si forma un blocco duro di zucchero.

7 Um ein kompaktes Zentrum des Blumenarrangements zu erhalten, werden zuerst lange streifenartige Blätter gemäss Buch 1 Seite 105 mit den Gladiolenblüten von aussen nach innen angesetzt. Hohlräume mit kleineren Blättern füllen.

7 To obtain a compact centre of the flower arrangement, insert some long striped leaves (see book 1, page 105) with the gladiolus flowers, working from the outside inwards. Fill any empty spaces with smaller leaves.

7 Pour obtenir un centre compact de l'arrangement floral, il convient de former de longues feuilles rayées (voir livre 1, page 105) avec les pétales des glaïeuls et de les appliquer de l'extérieur vers l'intérieur. Combler les espaces vides avec des feuilles plus petites.

7 Per ottenere un centro compatto della disposizione dei fiori, creare prima delle foglie lunghe a strisce come nel libro 1 pagina 105 ed applicarle insieme ai gladioli dall'esterno all'interno. Colmare gli spazi vuoti con foglie più piccole.

8 Zum Schluss werden noch die Tulpen gemäss Seite 59 nach Abbildung arrangiert. Den Holzschuh mit ein paar Pinselstrichen verzieren und das ganze Schaustück leicht mit dem Airbrush braun und schwarz spritzen.

8 Finally insert some tulips (see page 59) as illustrated. Decorate the clog with a few strokes of the paintbrush and lightly spray the entire showpiece brown and black with the airbrush.

8 Pour finir, arranger les tulipes (voir page 59) comme sur l'illustration. Décorer le sabot de quelques coups de pinceau et pulvériser légèrement toute la pièce avec de l'airbrush en brun et noir.

8 Alla fine disporre i tulipani (pagina 59) come nell'immagine. Decorare lo zoccolo con alcuni tratti di pennello, e con l'airbrush verniciare leggermente a spruzzo tutto l'oggetto in marrone e nero.

MR. FABILO SAGT:
Um das Blumenarrangement effektvoll zu präsentieren, benötigt man zuerst ein sternartiges Gerüst wie in Schritt Nr. 5 abgebildet. Anschliessend kann mit der Feinarbeit begonnen werden. Das Wichtigste dabei ist, dass man alle Blumen vom Zentrum ausgehend auf einen Punkt befestigt.

MR. FABILO SAYS:
For an effective flower arrangement you will first need a star-shaped support as shown in step 5. Only then can you start working on the details. It is very important that the stalks of all the flowers should be attached to one point at the centre of the arrangement.

MR. FABILO DIT:
Pour que l'arrangement floral fasse de l'effet, nous avons besoin en premier lieu d'une ossature en forme d'étoile comme illustré pour l'opération 5. Ensuite, nous pouvons commencer avec les finesses. Le plus important est de fixer toutes les fleurs sur un point à partir du centre.

MR. FABILO DICE:
Per ottenere l'effetto della disposizione artistica di fiori abbiamo bisogno prima di un'ossatura a forma di stella come illustrata per il passo n° 5. In seguito possiamo iniziare con il lavoro di precisione. La cosa più importante è di fissare tutti i fiori in un punto partendo dal centro.

HOLZSCHUH
CLOG
SABOT
ZOCCOLO

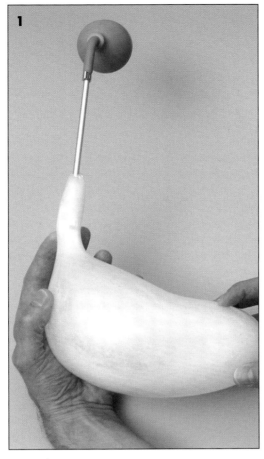

1 Grosse Zuckerkugel ansetzen, vorsichtig gleichmässig dehnen und in die Länge ziehen. Der Kanülenansatz muss nach oben gerichtet sein, damit die Ansatzstelle später nicht ersichtlich sein wird.

1 Take a large ball of sugar, inflate it evenly and pull lengthways. The point of connection to the tube must be pointed upwards, so that it will not be visible afterwards.

1 Préparer une grosse boule de sucre, la dilater précautionneusement et régulièrement et la tirer en longueur. L'embouchure de la canule doit être dirigée vers le haut de façon à ce qu'elle soit plus tard invisible.

1 Preparare una grande palla di zucchero, girarla regolarmente e con cautela e tirarla in lungo. L'imboccatura della cannula dev'essere diretta verso l'alto, affinché più tardi l'attaccatura non sia visibile.

2 Sobald das dehnende Objekt die Form von selbst behält, über ein Rundholz legen. Vorsichtig weiter blasen und durch mehrmaliges Berühren die spezifische Holzschuhform bilden.

2 As soon as the inflated object retains its shape by itself, place it over a wooden baton. Continue to blow carefully and create the typical clog shape by touching repeatedly.

2 Aussitôt que l'objet dilaté se forme par lui-même, le poser sur une baguette ronde. Continuer à souffler avec précaution et, par un toucher répété, lui donner la forme spécifique du sabot.

2 Appena l'oggetto dilatato regge la forma da solo, appoggiarlo su un tondo di legno. Continuare a soffiare con cautela e toccarlo diverse volte per attribuirgli la tipica forma dello zoccolo.

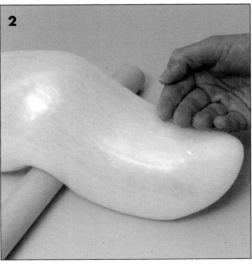

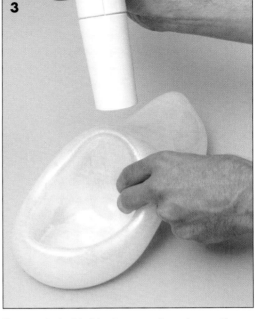

3 Den Schuh abkühlen lassen und von der Kanüle entfernen. Für die Schuhöffnung hinteren Teil mit dem Fön erwärmen und vorsichtig gemäss Abbildung einwärts modellieren.

3 Allow the clog to cool and remove it from the tube. To form the hollow part of the clog, heat the rear part with the hairdryer and carefully model inwards as illustrated.

3 Laisser refroidir le sabot et le détacher de la canule. Pour l'ouverture du sabot, réchauffer la partie arrière avec le sèche-cheveux et le modeler avec précaution en dedans comme sur l'illustration.

3 Lasciare raffreddare lo zoccolo e staccarlo dalla cannula. Per ottenere l'apertura dello zoccolo riscaldare la parte posteriore con l'asciugacapelli e modellarla con cautela verso l'interno come nell'immagine.

MR. FABILO SAGT:
Beim Modellieren der Schuhöffnung muss der eingestülpte Teil ohne Hohlraum mit dem Absatz verbunden sein. Die Bruchgefahr beim Einbrennen der Stiele der Hyazinthen und Gladiolen wäre zu gross.

MR. FABILO SAYS:
When modelling the hollow part of the clog, the instep should connect to the heel without any hollow in between, otherwise the risk of breakage when inserting the stalks of the hyacinths and gladioli would be too great.

MR. FABILO DIT:
Lors du modelage de l'ouverture du sabot, la partie intérieure doit être reliée au talon sans espace vide. Le danger de rupture lors du marquage des queues des jacinthes et des glaïeuls serait trop grand.

MR. FABILO DICE:
Nel modellare l'apertura dello zoccolo, la parte rivolta all'interno dev'essere collegata con il tacco senza spazio vuoto frammezzo. Il pericolo di rompersi sarebbe troppo grande quando vengono marcati gli steli dei giacinti e gladioli.

HYAZINTHE
HYACINTH
JACINTHE
GIACINTO

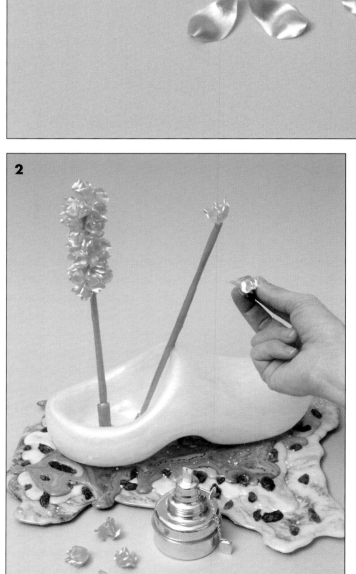

1 Kleine Blätter ziehen, links und rechts nach unten biegen und den Abschluss nach oben. Je drei Blütenblätter für das Herzstück und drei weitere, verschoben, zu einer Blüte zusammensetzen.

1 Pull some small petals, bend the left- and right-hand edges downwards, with the tip of the petal pointing upwards. Use three petals for the heart of the flower and three more petals (offset) to form a flower.

1 Tirer de petites feuilles, à gauche et à droite les courber vers le bas et la fin vers le haut. Assembler trois pétales pour le centre et trois autres décalées pour une fleur.

1 Tirare piccole foglie, a sinistra ed a destra, curvarle verso il basso e la fine verso l'alto. Unire tre petali per formare il centro del fiore ed attaccarci altri tre petali spostandoli lateralmente.

2 Mit einem Keil 25 bis 30 Blüten pro Stiel rundherum anfügen.

2 Use a wedge to insert 25-30 flowers on each stalk.

2 Ajouter tout autour 25 à 30 fleurs par queue avec un coin.

2 Aggiungere con un cuneo tra 25 a 30 fiori tutt'intorno ad ogni stelo.

TULPE
TULIP
TULIPE
TULIPANO

1 Für das Tulpenblatt Zucker-masse zuerst schmal, dann breit herausziehen, abnehmen und in den Handballen rollen. Links und rechts etwas zusammendrücken, um die typische Wölbung zu erhalten. Als Blütenzentrum eine warme Kugel einschneiden, modellieren, befeuchten und im Kristallzucker wenden.

1 To form a tulip petal, pull the sugar mass firstly into a narrow shape, then into a wider form. Detach and roll the mass in your palms. Slightly press the left- and right-hand sides together to obtain the typical curved shape. For the centre of the flower, cut out a warm ball of sugar, model it, add moisture and roll it in granulated sugar.

1 Pour la feuille de la tulipe, tirer tout d'abord la masse sucrée étroitement et ensuite largement, la détacher et la rouler dans les paumes. Serrer un peu à gauche et à droite pour obtenir le bombe-ment typique. Comme centre de la pétale, entailler une boule chaude, la modeler, l'humidifier et la tourner dans du sucre cristallisé.

1 Per il petalo del tulipano tirare la massa di zucchero prima in maniera stretta e poi larga, staccarla e rotolarla nelle palme delle mani. Serrare un po' a sinistra ed a destra per ottenere la tipica bombatura. Come centro del fiore, intagliare una palla calda, modellarla, umidi-ficarla e girarla nello zucchero cristallino.

2 Zuerst Blütenzentrum in einem Tulpenblatt einsetzen. Um eine wirkungsvolle Tulpe zu erhalten, bleibt der spitzige Blatteil immer auf der Arbeitsfläche. Zunächst drei Blätter, dann weitere drei, jedoch verschoben, zusammen-setzen. Stiel aufsetzen und mit weisser Farbe anmalen.

2 Place the centre of the flower in one of the petals. To obtain an effective tulip, the pointed end of the petal should always rest on the working surface. Assemble three petals, then another three petals (offset), and place on the stalk. Finish by applying some white paint.

2 Placer tout d'abord le centre de la pétale dans une feuille de tulipe. Pour obtenir une tulipe qui fasse de l'effet, la partie pointue de la feuille reste toujours sur la surface de travail. Assembler tout d'abord trois feuilles, puis trois autres, toutefois décalées. Appliquer la queue et peindre avec de la couleur blanche.

2 Prima inserire il centro del fiore in un petalo del tulipano. Per otte-nere un tulipano di grande effetto, la parte appuntita del pedalo deve rimanere sempre sulla superficie di lavoro. Prima unire tre petali, poi attaccarne altri tre ma spostati lateralmente. Applicare lo stelo e dipingerlo di bianco.

DER CHEF
DER LÖWEN

THE
LION CHEF

LE CHEF
DES LIONS

IL CAPO
DEI LEONI

Der Löwe ist nicht nur der König der Tiere, sondern die Herstellung dieser faszinierenden Raubkatze gehört in der Zuckerartistik zu den Königsdisziplinen. Bei Körper, Schenkel oder Kopf gibt es nicht viel abzudecken, und deshalb muss jeder Körperteil in der Ausführung absolut perfekt sein. In dieser Lektion achten wir auf die perfekte Kugel, den Ausgangspunkt für jedes gedehnte Objekt.

The lion is not only king of the beasts: the creation of this fascinating predator is one of the royal disciplines in the field of sugar art. Only small parts of the head, body and legs are covered up, so that each part of the body must be absolutely perfect. In this lesson the emphasis is on the perfect sugar ball, which is the starting point for any inflated object.

Le lion n'est pas seulement le roi des animaux; la confection de ce fauve fascinant compte dans l'art du sucre parmi les disciplines reines. Pour le corps, les cuisses et la tête, il n'y a pas grand-chose à recouvrir; c'est pourquoi chaque partie du corps doit être exécutée de façon parfaite. Dans cette leçon, nous faisons attention à la boule parfaite, point de départ de chaque objet dilaté.

Il leone non è solo il re degli animali, ma la realizzazione di questo felino affascinante conta nell'arte dello zucchero tra le discipline regali. Il corpo, le coscie e la testa non vengono coperti molto e per questa ragione ogni parte del corpo dev'essere eseguita in maniera perfetta. In questa lezione facciamo attenzione alla palla perfetta che è il punto di partenza di ogni oggetto dilatato.

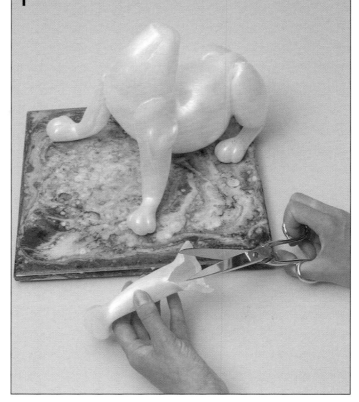

1 Den Körper und die Hinterbeine gemäss Seite 64 blasen, zusammensetzen und auf eine mit Zucker oder Perlen gegossene marmorierte Platte setzen. Die Vorderbeine werden direkt angesetzt. Das Blasen erfolgt gemäss Seite 65, jedoch formen wir nur die Tatzen und die geraden Beine. Noch im warmen Zustand mit der Schere von der Kanüle abschneiden, oben öffnen und am Körper ansetzen.

1 Blow the body and the hind legs (see page 64), assemble them and place on a plaque that has been marble-cast with sugar or pearls. Attach the forelegs directly. Blow according to the instructions on page 65 However, this time we shall only need the paws and the straight legs. Cut away from the tube with the scissors while still warm, open at the top and attach to the body.

1 Souffler le corps et les pattes arrière (voir page 64), assembler et appliquer sur une plaque marbrée avec du sucre ou des perles. Les pattes avant sont appliquées directement. Le soufflage suit (voir page 65), nous ne formons néanmoins que les pattes et les jambes droites. Encore chaud, détacher de la canule avec les ciseaux, ouvrir en haut et fixer au corps.

1 Soffiare il corpo e le gambe posteriori come a pagina 64, attaccarli ed applicarli su una piastra marmorata, colata di zucchero o perle. Le gambe anteriori vengono applicate direttamente. Soffiarle come a pagina 65, ma qui formiamo solo le zampe e le gambe diritte. Ancora calde staccarle con le forbici dalla cannula, aprire sopra ed attaccarle.

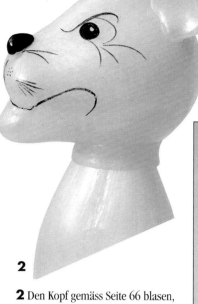

2

2 Den Kopf gemäss Seite 66 blasen, Nase und Ohren formen und vor dem Aufsetzen gemäss Abbildung mit dem Pinsel malen. Anschliessend den Hals mit einer Zuckerstange verstärken.

2 Blow the head (see page 66), form the nose and ears and, before placing the head on the body, paint with the brush as illustrated. Now reinforce the neck with a strip of sugar.

2 Souffler la tête (voir page 66), former le nez et les oreilles et avant l'application, peindre comme sur l'illustration. Renforcer ensuite le cou avec une barre de sucre.

2 Soffiare la testa come a pagina 66, formare il naso e le orecchie e, prima di attaccarli, dipingerli con il pennello come nell'immagine. Dopo rinforzare il collo con una bacchetta di zucchero.

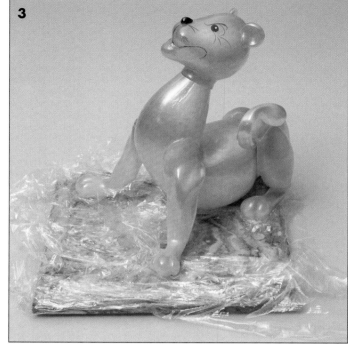

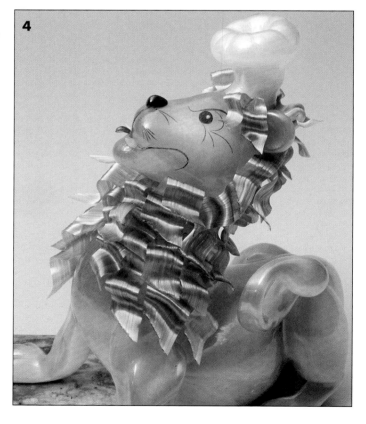

3 Für den Schwanz wird eine gedehnte Kugel in die Länge gezogen und noch warm aufgesetzt. Den Boden mit Klarsichtfolie abdecken und das ganze Objekt mit dem Airbrush braun spritzen.

3 For the tail, pull an inflated ball lengthways and attach while still warm. Cover the base with cellophane and spray the whole object brown with the airbrush.

3 Pour la queue, nous tirons une boule dilatée en longueur et l'appliquons encore chaude. Couvrir le fond avec une feuille de cellophane et pulvériser tout l'objet avec l'airbrush en brun.

3 Per la coda, tirare una palla dilatata in lungo ed attaccarla ancora calda. Coprire il fondo con una foglia trasparente e con l'airbrush verniciare a spruzzo tutto l'oggetto di marrone.

4 Mähne mit gewellten, streifenartig gezogenen Bändern imitieren. Die Kochmütze wie im Buch 1 Seite 141 blasen, aufsetzen und mit einem Band abdecken. Zähne und Zunge ansetzen.

4 Imitate the mane using wavy, striped pulled bands. Blow and attach the chef's hat as described in book 1, page 141, and cover up with a band. Insert the teeth and tongue.

4 Imiter la crinière avec des bandes striées, étirées et ondulées. Souffler la toque (voir livre 1, page 141), l'appliquer et la recouvrir avec une bande. Appliquer dents et langue.

4 Imitare la criniera con dei nastri tirati, striati ed ondulati. Soffiare il tocco come nel libro 1 pagina 141, appliccarlo e ricoprirlo con un nastro. Attaccare i denti e la lingua.

5 Menutafel aus Zucker oder Perlen giessen, abkühlen, beschriften und aufsetzen. Nach eigener Phantasie dekorieren. Am Boden etwas Zuckersand grob verteilen.

5 Cast a menu board from sugar or pearls. Cool down, add the lettering and put in place. Decorate according to your own imagination. Roughly sprinkle some sugar sand over the base.

5 Couler l'écriteau du menu en sucre ou en perles, refroidir, mettre l'inscription et appliquer. Décorer selon sa propre fantaisie. Répartir grossièrement sur le fond du sucre sable.

5 Colare di zucchero o di perle la lavagna, raffreddarla, scriverci il menu ed applicarla. Decorare secondo la propria fantasia. Spargere un po' di zucchero sabbia sul fondo.

KÖRPER
BODY
CORPS
CORPO

1 Grosse Zuckerkugel ansetzen und mit viel Feingefühl vorsichtig und gleichmässig dehnen.

1 Take a large ball of sugar and inflate evenly and very carefully.

1 Préparer une grosse boule de sucre et la dilater précautionneusement et régulièrement avec beaucoup de doigté.

1 Attaccare una grande palla di zucchero e dilatarla regolarmente con cautela.

2 Sobald eine tropfenartige Form erreicht ist, werden die kalten Schenkel, beidseitig vorbereitet, an der Innenseite etwas erwärmt und an die Kugel angesetzt. Den Körper vorsichtig weiterdehnen.

2 As soon as you have a teardrop shape, prepare both the cold hind legs, warm them up on the inside surfaces and attach to the ball. Carefully continue to inflate the body.

2 Dès qu'une forme de goutte est atteinte, nous préparons les cuisses froides de chaque côté, réchauffons légèrement la partie intérieure et l'appliquons à la boule. Continuer à dilater le corps avec précaution.

2 Appena raggiunta la forma a goccia, riscaldare un po' nella parte interiore le cosce fredde e già preparate per tutti e due i lati ed applicarle alla palla. Continuare a dilatare il corpo con cautela.

MR. FABILO SAGT:
Um zum Formen beide Hände zur Verfügung zu haben, wird der Blasebalg mit dem Mund am hinteren Teil festgehalten und weiter Luft hineingeblasen.

MR. FABILO SAYS:
You will need both hands to form the body, so that the rear part of the blowing bellows should be held in the mouth, and you should continue blowing air.

MR. FABILO DIT:
Afin d'avoir à disposition les deux mains pour le formage, nous maintenons le soufflet avec la bouche à sa partie arrière et continuons à le remplir d'air.

MR. FABILO DICE:
Per avere a disposizione tutte e due le mani per la formatura, mantenete il soffietto dalla parte posteriore nella bocca e continuate a soffiarci.

3 Die Körperform kann durch Berührungen mit den Händen beeinflusst werden, bis die gewünscht Form erreicht ist.

3 The shape of the body can be modified by touching with the hands until the desired shape is obtained.

3 La forme du corps peut être influencée au contact des mains jusqu'à ce que la forme désirée soit atteinte.

3 La forma del corpo può essere influenzata toccandolo con le mani fino ad aver raggiunto la forma desiderata.

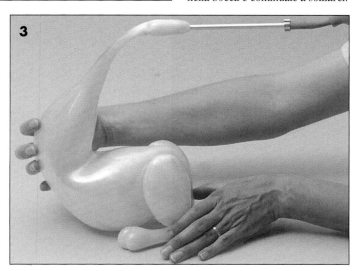

SCHENKEL
HIND LEGS
CUISSES
COSCE

1 Aus einer gleichmässig gedehnten Kugel eine zweite formen.

1 Take an evenly inflated ball of sugar and form a second ball from it.

1 D'une boule, par une dilatation régulière, en former une seconde.

1 Da una palla dilatata regolarmente formarne un'altra.

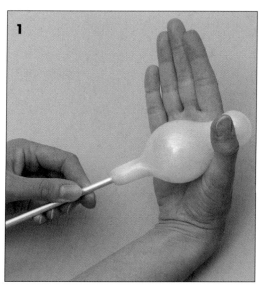

3 Den Tatzenansatz in die Länge ziehen, oben dehnen und im 90°-Winkel ein Gelenk gemäss Abbildung modellieren.

3 Pull the paw outwards, inflate at the top and model a 90° ankle joint as illustrated.

3 Tirer la jointure des pattes en longueur, dilater en haut et, dans un angle de 90°, modeler une articulation comme sur l'illustration.

3 Tirare in lungo l'attaccatura delle zampe, dilatare verso l'alto e modellare l'articolazione come nell'immagine, rispettando un angolo di 90°.

2 Die Tatzen mit der Schere zweimal einkerben und nur den Bereich der Tatzen mit dem Fön herunterkühlen.

2 Notch the paws twice with the scissors and cool only the region of the paws with the hairdryer.

2 Entailler les pattes par deux fois avec les ciseaux et refroidir avec le sèche-cheveux seulement dans la zone des pattes.

2 Con le forbici intagliare due volte le zampe e raffreddare solo la parte delle zampe con l'asciugacapelli.

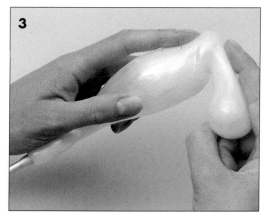

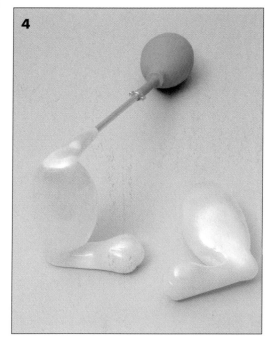

4 Der Abschluss des rechten Schenkels liegt auf der linken Seite, derjenige für den linken dagegen rechts.

4 The end of the right hind leg is on the left-hand side, and the end of the left hind leg is on the right-hand side.

4 La fin de la cuisse droite repose sur le côté gauche, celle de la cuisse gauche sur le côté droit.

4 La fine della coscia destra è sulla parte sinistra, quella della coscia sinistra invece sulla parte destra.

LÖWENKOPF
LION'S HEAD
TÊTE DE LION
TESTA DEL LEONE

1 Aus einer gleichmässig gedehnten Kugel einen zweiten Kugelansatz formen.

1 Take an evenly inflated ball of sugar and form a second ball from it.

1 D'une boule, par une dilatation régulière, former une seconde jointure de boule.

1 Da una palla dilatata regolarmente formare una seconda attaccatura di una palla.

2 Links und rechts Masse für die Backen herausmodellieren.

2 Model the mass into cheeks on the left- and right-hand sides.

2 Modeler à gauche et à droite la masse pour les joues.

2 Modellare a sinistra ed a destra la massa per le guance.

3 Die Schnauze etwas mit dem Fön erwärmen und sofort in zwei Ausstecher drücken.

3 Warm the muzzle slightly with the hairdryer and press it immediately into two cutters.

3 Réchauffer légèrement la gueule avec le sèche-cheveux et la pousser immédiatement dans deux formes.

3 Riscaldare un po' il muso con l'asciugacapelli e pressarlo subito nelle due forme.

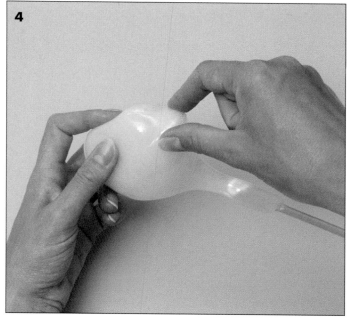

4 Die Augenhöhle leicht betonen und den Mund modellieren.

4 Slightly accentuate the eye sockets and model the mouth.

4 Souligner légèrement les orbites et modeler la bouche.

4 Sottolineare leggermente le orbite e modellare la bocca.

MR. FABILO SAGT:
Mit der gleichen Technik können Katzen, Tiger, Leoparden und Ähnliches hergestellt werden.

MR. FABILO SAYS:
You can use the same method to create cats, tigers, leopards, etc.

MR. FABILO DIT:
Avec la même technique, on peut fabriquer des chats, des tigres, des léopards, etc.

MR. FABILO DICE:
Con la stessa tecnica potete realizzare gatti, tigri, leopardi e animali simili.

WASSERWELT AQUARIUM

UNDERWATER WORLD AQUARIUM

MONDE SOUS-MARIN EN AQUARIUM

MONDO SUBACQUEO D'ACQUARIO

Ob Jung oder Alt, ob Anfänger oder Fortgeschrittener – eines haben Zuckerartisten gemeinsam: Sie liebäugeln immer wieder damit, die Natur auf ihre Art zu interpretieren. Die Wasserwelt ist ein oft gewähltes Thema. Das Aquarium enthält eine gute Kombination von gezogenem und geblasenem Zucker. Dank Holz-, Wasser- und Felsenzucker lassen sich schnell voluminöse Schaustücke kreieren. Die integrierten Airbrush-Techniken sind rationell und effektvoll. Ausserdem passt das Aquarium zu jedem Anlass und zu jeder Jahreszeit. Beim Umsetzen gehen wir wie folgt vor:

Whether young or old, beginner or expert, all sugar artists have one thing in common: the desire to interpret nature according to their own imagination. The underwater world is a popular subject.
The aquarium contains a good combination of pulled and blown sugar. Wood, water and rock sugars make it possible to create voluminous showpieces rapidly. The integrated airbrush techniques are easy to use and effective. Moreover, an aquarium is a suitable subject for any occasion and any season. Proceed as follows:

Jeune ou vieux, débutant ou avancé, les artistes du sucre ont une chose en commun: ils veulent toujours interpréter la nature à leur manière. Le monde sous-marin est un thème qui revient souvent.
L'aquarium renferme une bonne combinaison de sucre tiré et soufflé. Grâce au sucre bois, au sucre eau et roche, nous pouvons créer rapidement des pièces volumineuses. Les techniques d'airbrush intégrées sont rationnelles et pleines d'effet. En plus, l'aquarium se prête à chaque occasion, à n'importe quelle saison. Pour la réalisation, nous procédons comme suit:

Se giovani o vecchi, se principianti o professionisti – gli artisti dello zucchero hanno una cosa in comune: Desiderano sempre interpretare la natura a modo loro. Il tema del mondo subacqueo viene scelto spesso. L'acquario rinchiude una buona combinazione tra zucchero tirato e soffiato. Grazie allo zucchero legno, acqua e roccia, si creano rapidamente oggetti da mostra voluminosi.
Le tecniche integrate all'airbrush sono razionali e di grande effetto. Inoltre, l'acquario s'adatta a tutte le occasioni ed a tutte le stagioni dell'anno. Per la realizzazione procediamo come segue:

1 Gezogenen Holzzucker, Buch 1 Seite 158, abkühlen und auf die mindestens 1 cm dicke mit Zucker oder Perlen gegossene Platte aufsetzen.

1 Cool down some pulled wood sugar (see book 1, page 158) and place on the base, which should be at least 1 cm thick and which has been cast with sugar or pearls.

1 Refroidir du sucre bois tiré (voir livre 1, page 158) et l'appliquer sur une plaque coulée d'au moins 1 cm d'épaisseur en sucre ou en perles.

1 Raffreddare dello zucchero legno tirato (vedi libro 1, pagina 158) ed appliccarlo su una piastra colata di zucchero o perle di uno spessore di minimo 1 cm.

MR. FABILO SAGT:
Holzzucker, der in dieser Grösse gezogen wird, muss mindestens 15 Minuten abgekühlt werden und 15 Minuten ruhen, bevor er aufgesetzt wird. Eingesunkener Holzzucker macht eine Realisierung des Schaustückes zunichte!

MR. FABILO SAYS:
Wood sugar that has to be pulled to this length must be cooled for at least 15 minutes and left to repose for 15 minutes before it can be attached to the decoration. Sunken wood sugar would ruin the effect of the showpiece!

MR. FABILO DIT:
Du sucre bois, tiré à cette grandeur, doit être refroidi au moins pendant 15 minutes et doit reposer pendant 15 minutes avant d'être appliqué. Le sucre bois sans consistance rend impossible la réalisation de la pièce!

MR. FABILO DICE:
Zucchero legno che viene tirato a questa grandezza dev'essere raffreddato per minimo 15 minuti e deve riposare minimo per altri 15 minuti prima di essere applicato. Lo zucchero legno crollato rende impossibile la realizzazione del pezzo!

2 Wasserzucker, Buch 1 Seite 51, und Felsenzucker, Buch 1 Seite 159 aufsetzen. Den Felsenzucker mit brauner und schwarzer Farbe bespritzen.

2 Add some water sugar (see book 1, page 51) and rock sugar (see book 1, page 159). Spray the rock sugar brown and black.

2 Appliquer du sucre eau (voir livre 1, page 51) et du sucre roche (voir livre 1, page 159). Pulvériser le sucre roche avec de la couleur brune et noire.

2 Applicare dello zucchero acqua (libro 1, pagina 51) e dello zucchero roccia (libro 1, pagina 159). Verniciare a spruzzo lo zucchero roccia con del colore marrone e nero.

3 Zuckersand gemäss Seite 143 herstellen und im feuchten Zustand ungeordnet über den Boden und den Felsenzucker verteilen.

3 Make some sugar sand (see page 143) and sprinkle over the base and rock sugar irregularly while still moist.

3 Fabriquer du sucre sable (voir page 143) et le répartir encore humide et en ordre dispersé sur le fond et sur le sucre roche.

3 Creare dello zucchero sabbia come a pagina 143 e spargerlo ancora umido sul fondo e sullo zucchero roccia.

4 Langblättrige Barclaya gemäss Seite 73 ziehen, aufsetzen und leicht mit brauner Farbe bespritzen. Die grossen Segelflosser (Skalare) gemäss Seite 74 blasen, dekorieren und mit einer zusätzlichen Kugel stabilisiert ansetzen.

4 Pull a long-leafed barclaya (see page 73), attach it and lightly spray it brown. Blow the scalares (see page 74), decorate and attach, stabilising each one with an additional ball.

4 Tirer un barclaya à longues feuilles (voir page 73), l'appliquer et le pulvériser légèrement avec de la couleur brune. Souffler la perche multicolore (voir page 74), la décorer et, avec une boule complémentaire stabilisée, l'appliquer.

4 Tirare una barclaya a foglie lunghe come a pagina 73, applicarla e verniciarla leggermente a spruzzo di color marrone. Soffiare i grandi scalari come a pagina 74, decorarli, stabilizzarli con un ulteriore palla ed attaccarli.

5 Rücken-, Schwanz-, Bauch-, Brustflossen und Barteln durch streifenartiges Ziehen, Buch 1 Seite 105 herstellen und noch im warmen Zustand ansetzen.

5 Create dorsal, tail, ventral and pectoral fins, as well as the barbels, from pulled strips (see book 1, page 105) and attach while still warm.

5 Les nageoires du dos, de la queue, du ventre et de la poitrine ainsi que les barbillons sont à confectionner par un tirage à rayures (voir livre 1, page 105) et à appliquer encore chauds.

5 Realizzare le pinne dorsali, caudali, pettorali ed i barbigli con uno stiramento striato come nel libro 1, pagina 105 ed attaccarli ancora caldi.

6 Den Rücken der Fische zuerst mit brauner Lebensmittelfarbe spritzen, dann mit dem Airbrush aus 5 cm Nähe die schwarzen senkrechten Streifen spritzen.

6 Spray the backs of the fishes first of all with brown food colouring, then spray black vertical stripes with the airbrush from a distance of 5 cm.

6 Pulvériser tout d'abord le dos des poissons avec de la couleur alimentaire brune, ensuite avec de l'airbrush, d'une distance de 5 cm, pulvériser les rayures verticales noires.

6 Verniciare prima a spruzzo la schiena dei pesci con del colore alimentare marrone e, con l'airbrush da una distanza di 5 cm, verniciare poi a spruzzo le strisce nere verticali.

8 Wasserblasen aus ungezogenem Zucker dehnen und in kleinen Gruppen aufeinandersetzen. Zum Schluss gesponnenen Zucker gemäss Buch 1 Seite 162 integrieren.

8 Inflate the bubbles from non-pulled sugar and place them in small groups, one on top of the other. Now add some spun sugar (see book 1, page 162).

8 Dilater les bulles d'eau avec du sucre non tiré et les appliquer en petits groupes les unes sur les autres. Intégrer à la fin du sucre filé (voir livre 1, page 162).

8 Dilatare bolle d'acqua da zucchero non tirato e sovrapporle in piccoli gruppi. Alla fine integrare dello zucchero filato come nel libro 1, pagina 162.

7 Die Posthornschnecken gemäss Seite 75 herstellen und aufsetzen, anschliessend mit roter, brauner und schwarzer Lebensmittelfarbe spritzen.

7 Create the posthorn snails (see page 75) and attach them. Spray with red, brown and black food colouring.

7 Confectionner les escargots cor de postillon (voir page 75) et les appliquer, ensuite les pulvériser de couleur alimentaire rouge, brune et noire.

7 Realizzare i planorbidi come a pagina 75 ed applicarli, in seguito verniciarli a spruzzo con del colore alimentare rosso, marrone e nero.

LANGBLÄTTERIGE BARCLAYA
LONG-LEAFED BARCLAYA
BARCLAYA À LONGUES FEUILLES
BARCLAYA A FOGLIE LUNGHE

1

2

MR. FABILO SAGT:
Beim Ziehen der scharfen Kanten sollte man direkt unter der Wärmelampe arbeiten, um das Reissen des Zuckers zu verhindern.

MR. FABILO SAYS:
When pulling the thin edges you should work under the heating lamp to avoid tearing the sugar.

MR. FABILO DIT:
Lors du tirage des arêtes aiguës, il faut travailler directement sous la lampe chauffante afin d'éviter que le sucre ne se déchire.

MR. FABILO DICE:
Nello stiramento dei bordi sottili dovreste lavorare direttamente sotto la lampada riscaldante per evitare che lo zucchero si spezzi.

1 Um die typisch rauhen Blätter dieser Unterwasserpflanze zu imitieren, werden Perlen in die Zuckermasse hineingearbeitet.

1 To imitate the typically rough leaves of this underwater plant, mix some pearls into the sugar mass.

1 Afin d'imiter au mieux l'aspect rugueux de cette plante sousmarine, on mélange des perles à la masse de sucre.

1 Per imitare il tipico carattere ruvido delle foglie di questa pianta subacquea, mischiare delle perle nella massa di zucchero.

2 Ein langes Blatt herausziehen wie im Buch 1 Seite 72. Das Blatt muss jedoch dicker sein. Dazu muss mehr Masse herausgezogen werden. Sofort in 2 cm Abständen nochmals auf beiden Seiten scharfe Kanten ziehen, damit die ungleichmässige Blattform entsteht.

2 Pull a long leaf (see book 1, page 72); however, this time the leaf should be thicker, which means that more sugar mass must be pulled out. Immediately pull the thin edges at 2 cm intervals on both sides to produce the irregular leaf shape.

2 Tirer à soi une longue feuille (livre 1, page 72), la feuille doit être toutefois plus épaisse. En plus, tirer à soi plus de masse. Immédiatement, et à 2 cm d'intervalle, tirer encore une fois des arêtes aiguës des deux côtés pour obtenir la forme irrégulière de la feuille.

2 Tirare una foglia lunga come nel libro 1, pagina 72, però qui dev'essere più spessa, perciò tirare fuori più massa. Da tutti e due i lati tirare subito bordi più sottili, di volta in volta ad una distanza di 2 cm e questo, per ottenere la forma irregolare della foglia.

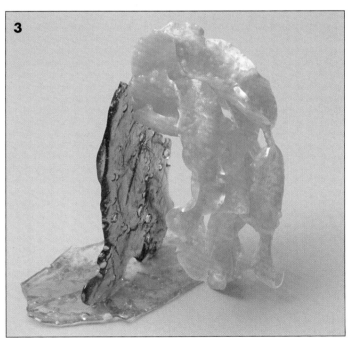

3

3 Noch im warmen Zustand aus einem Zentrum heraus am Schaustück aufsetzen. Zum Schluss mit brauner Farbe spritzen.

3 While the mass is still warm, attach the middle of each leaf to the showpiece. Now spray brown.

3 Encore chaud, à partir du centre, appliquer à la pièce. Pour finir, pulvériser avec de la couleur brune.

3 Ancora caldo partendo dal centro, applicare all'oggetto da mostra. Alla fine verniciare a spruzzo con del colore marrone.

GROSSER SEGELFLOSSER (SKALAR)
SCALARE
PERCHE MULTICOLORE
SCALARE GRANDE

1 Gleichmässig gedehnte Kugel tropfenförmig blasen.

1 Blow an evenly inflated ball into the form of a teardrop.

1 Souffler une boule régulièrement dilatée en forme de goutte.

1 Soffiare una palla dilatata regolarmente a forma di goccia.

2 Kiemen und Mundkeile gemäss Abbildung aufsetzen.

2 Attach the gills and corners of the mouth as illustrated.

2 Appliquer comme sur l'illustration les branchies et les coins de bouche.

2 Applicare le branchie ed i cunei della bocca.

3 Für die Augen werden die drei Elemente aufeinandergesetzt und vorsichtig mit dem Mikro-Torch auf dem Marmor von allen Seiten erwärmt, bis sie zusammen-schmelzen. Abkühlen und aufsetzen.

3 For the eyes, the three elements are placed on top of each other on the marble plaque and warmed carefully on all sides with the micro torch until they melt into each other. Cool down and insert the eyes.

3 Pour les yeux, appliquer les trois éléments les uns sur les autres avec précaution et les réchauffer par tous les côtés avec la micro-torche sur le marbre jusqu'à ce qu'ils soient fondus ensemble. Refroidir et appliquer.

3 Per gli occhi sovrapporre tre elementi e sul marmo riscaldarli prudentemente con il Mikro-Torch da tutti i lati finché siano fusi insieme.

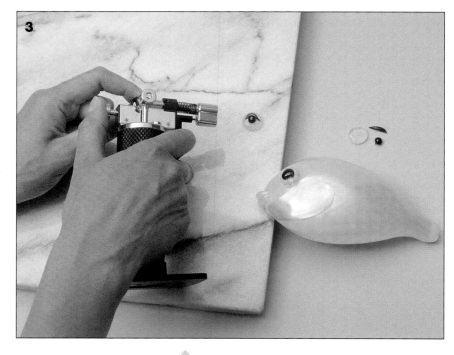

MR. FABILO SAGT: Die Augenelemente mit dem Mikro-Torch nicht flüssig machen, sondern nur bis zum Zusammenschmelzer erwärmen.

MR. FABILO SAYS: Do not let the eye elements become runny when using the micro torch; just heat up until they melt into each other.

MR. FABILO DIT: Ne pas rendre fluides les éléments des yeux avec la microtorche, mais les réchauffer jusqu'à la fonte.

MR. FABILO DICE: Non rendete liquidi gli elementi degli occhi con il Mikro-Torch, ma riscaldate solo fino alla loro fusione.

POSTHORNSCHNECKE
POSTHORN SNAIL
ESCARGOT COR DE POSTILLON
PLANORBIDI

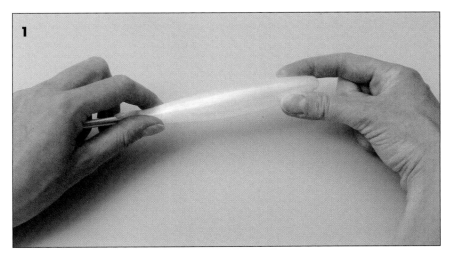

1 Gleichmässig gedehnte Kugel stangenförmig blasen.

1 Blow an evenly inflated ball into a long strip.

1 Souffler une boule régulièrement dilatée en forme de barre.

1 Soffiare una palla dilatata regolarmente a forma di barra.

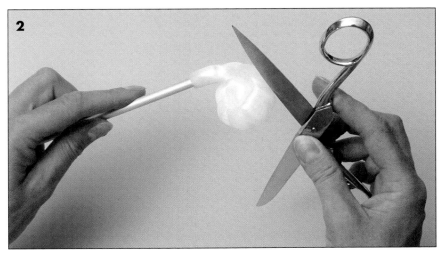

2 Unverzüglich einrollen, mit der Schere mehrmals einkerben und nochmals vorsichtig dehnen.

2 Immediately roll the strip, notch several times with the scissors, then inflate carefully once more.

2 Enrouler immédiatement, entailler plusieurs fois avec les ciseaux et dilater une nouvelle fois avec précaution.

2 Arrotolare subito, intagliare più volte con le forbici e dilatare ancora una volta con cautela.

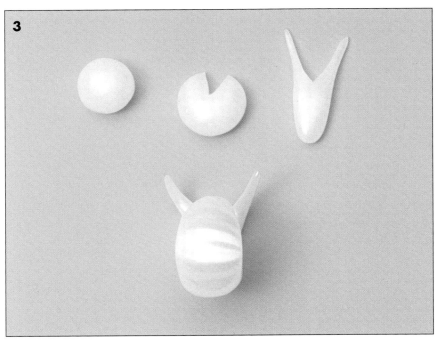

3 Aus einer Kugel den Körper mit den Fühlern modellieren und mit dem Schneckengehäuse zusammensetzen.

3 Model the body and feelers from a ball of sugar and join to the snail's shell.

3 D'une boule, modeler le corps avec les antennes et assembler avec la maison de l'escargot.

3 Da una palla modellare il corpo con le antenne ed unire con il guscio a chiocciola.

SCHÖNHEIT DER WASSERWELT

BEAUTY FROM THE DEPTHS OF THE OCEAN

BEAUTÉ DU MONDE SOUS-MARIN

BELLEZZA DELLE PROFONDITÀ MARINE

Gast-Zuckerartist: Joachim Habiger, Fellbach, Deutschland
Guest sugar artist: Joachim Habiger, Fellbach, Germany
Artiste du sucre invité: Joachim Habiger, Fellbach, Allemagne
Artista dello zucchero invitato: Joachim Habiger, Fellbach, Germania

1 Einfachheit und Schönheit miteinander zu verbinden, war für mich die Motivation, die Meerjungfrau als Schaustück zu wählen. In der eigenen Phantasie versunken, kreiert man aus Kristallzucker und Perlen die heile Seite des Lebens. Mit dieser heilen Seite lässt es sich hervorragend in der Gastrobranche und in der Konditorei für unsere Produkte werben. Handwerkliches Können und Phantasie sind die wichtigsten Voraussetzungen dazu.

Es ist deshalb für mich äusserst wichtig, dass dieses anspruchsvolle Handwerk so einfach wie möglich unseren Berufskolleginnen und -kollegen sowie unserem Berufsnachwuchs in Deutschland vermittelt werden kann. Denn man muss nur die Grundtechnik beherrschen, um seine eigenen Bilder kreativ umsetzen zu können.

1 Combining simplicity with beauty was the reason I chose the mermaid as my showpiece. From the depths of your imagination, you can create your own utopia from granulated sugar and pearls. Such utopian ideas are excellent for advertising our products in the fields of gastronomy and pastries. The chief requirements are skill with your hands and plenty of imagination.

I consider it extremely important to communicate this challenging craft as simply as possible to our colleagues and to the next generation in this profession in Germany. You only need to master the basic techniques to realise your own ideas in a creative manner.

1 Relier simplicité et beauté fut pour moi la motivation qui me fit choisir comme pièce la sirène. Plongé dans sa propre fantaisie, on crée d'emblée en sucre cristallisé et en perles le côté idéal de la vie. Ce côté idéal nous permet de faire remarquablement de la publicité pour nos produits dans la branche gastronomique et la pâtisserie. Le savoir-faire et la fantaisie sont les conditions essentielles pour parvenir au but.

Il est de ce fait très important pour moi que ce métier exigeant puisse être transmis de la manière la plus simple possible à nos collègues femmes et hommes ainsi qu'à la jeune génération en Allemagne. Il suffit de posséder la technique de base pour projeter ses propres images de manière créative.

1 Combinare la semplicità con la bellezza è stata per me la motivazione di scegliere la sirenetta come oggetto da mostra. Immerso nella propria fantasia ci si crea, con lo zucchero cristallino e con perle, il lato bello della vita. Questo lato bello ci permette di fare un'ottima pubblicità per i nostri prodotti nell'ambito della gastronomia e della pasticceria. Premesse essenziali sono le capacità artigianali e la fantasia.

Per questa ragione è molto importante per me che questo mestiere esigente possa essere trasmesso nella maniera più semplice possibile ai nostri colleghi e alle nostre colleghe come pure alle nuove leve della nostra professione in Germania. Basta essere padroni della tecnica di base per realizzare le proprie immagini in modo creativo.

2

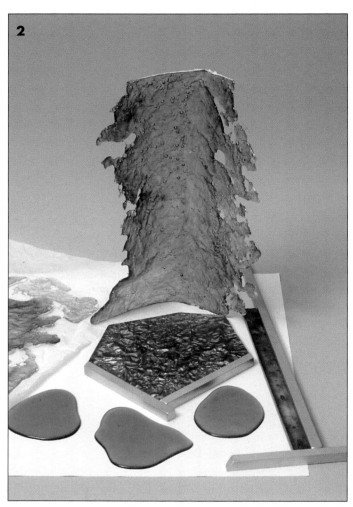

3

3 Die kleinen kalten Platten aufeinandersetzen, die zuvor mit dem Mikro-Torch erhitzt werden. Mit Felsenzucker gemäss Buch 1 Seite 159 rundum einfassen und mit brauner und schwarzer Farbe spritzen.

3 Place the small cold plaques on top of each other, having previously heated them with the micro torch. Cover all over with rock sugar (see book 1, page 159) and spray brown and black.

3 Superposer les petites plaques froides, qui ont été réchauffées préalablement, avec la microtorche. Border tout autour avec du sucre roche (voir livre 1, page 159) et pulvériser avec de la couleur brune et noire.

3 Sovrapporre le piccole piastre fredde che vengono innanzi tutto riscaldate con il Mikro-Torch. Bordare tutt'intorno con dello zucchero roccia come nel libro 1, pagina 159 e verniciare a spruzzo di color marrone e nero.

MR. FABILO SAGT:
Eine kleine Fläche auf der Fels-höhe freilassen, damit das Gesäss der Meerjungfrau dort angesetzt werden kann. Direkt auf Felsen-zucker angesetzt wäre äusserst instabil!

MR. FABILO SAYS:
Leave a small space free on top of the rocks for the mermaid to sit on. Sitting directly on the rock sugar would be very unsteady!

MR. FABILO DIT:
Laisser libre une petite surface sur la hauteur du rocher, afin de pouvoir fixer dessus le séant de la sirène. Fixé directement sur le sucre roche, cela serait très instable!

MR. FABILO DICE:
Lasciate libera una piccola super-ficie sull'altezza della roccia per poter appoggiarci il sedere della sirenetta. Fissarlo direttamente sullo zucchero roccia sarebbe molto instabile.

2 Boden und Stütze 1 cm dick mit Zucker oder Perlen blau giessen. Für den Felsenunterbau mehrere kleine Platten frei giessen. Für den Hintergrund Wasserzucker wie im Buch 1 Seite 51 ausgiessen und vor dem Stocken halbmondartig bie-gen und abkühlen. Hintergrund und Stütze sollten dieselbe Länge aufweisen.

2 Cast a blue base and support, 1 cm thick, from sugar or pearls. Freely cast a few small plaques for the rock foundation. To create the background, use water sugar (see book 1, page 51). Before it thickens, bend it into half-moon shape and cool down. The back-ground and the support should be the same length.

2 Couler le fond et les tuteurs en bleu avec du sucre ou des perles à 1 cm d'épaisseur. Pour le soutène-ment du rocher, couler librement plusieurs petites plaques. Pour l'arrière-plan, couler du sucre eau (voir livre 1, page 51) et avant de le monter, le courber en demi-lune et le refroidir. L'arrière-plan et les tuteurs doivent avoir la même longueur.

2 Colare il fondo e l'appoggio in blu con dello zucchero o delle perle di uno spessore di 1 cm. Per il sostegno della roccia colare liberamente parecchie piccole piastre. Per lo sfondo colare dello zucchero acqua come nel libro 1, pagina 51 e prima di farlo coagulare, curvarlo a forma di mezzaluna e raffreddarlo. Lo sfondo e l'appoggio dovrebbero avere la stessa lunghezza.

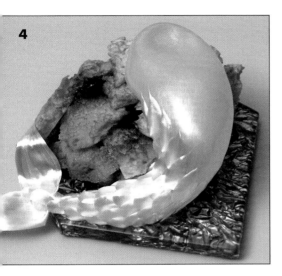

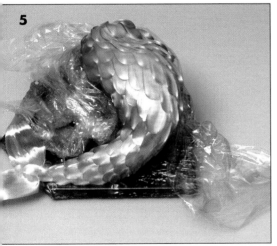

4 Den unteren Teil des Körpers blasen und noch im warmen Zustand anfügen. Schwanzflossen durch streifenartiges Ziehen analog Buch 1 Seite 105 herstellen und ansetzen. Als Schuppen werden handgeformte kleine Blätter reihenweise versetzt angebracht.

4 Blow the tail part of the body and mount it while still warm. Create tail fins by pulling striped pieces (see book 1, page 105) and attach them to the tail. Cover the tail with offset layers of scales made of small hand-modelled leaves.

4 Souffler le bas du corps et l'appliquer encore chaud. Fabriquer les nageoires de la queue par un tirage strié (voir livre 1, page 105) et les appliquer. Comme écailles, utiliser de petites feuilles formées à la main et décalées par rangée.

4 Soffiare la parte inferiore del corpo ed attaccarlo ancora caldo. Creare le pinne caudali con lo stiramento striato come nel libro 1, pagina 105 ed appliccarle. Come scaglie creare a mano delle piccole foglie ed attaccarle a file spostate.

5 Den Felsen mit Klarsichtfolie abdecken und mit blauer und schwarzer Farbe spritzen.

5 Cover the rocks with cellophane and spray the rest of the figure blue and black.

5 Recouvrir le rocher avec une feuille de cellophane et pulvériser avec de la couleur bleue et noire.

5 Coprire la roccia con una foglia trasparente e verniciarla a spruzzo di colore blu e nero.

6 Den Oberkörper gemäss Seite 82 blasen und aufsetzen. Übergangsstelle zum Unterkörper mit einem Band von rechts und links abdecken. Bikini modellieren und ziehen und gemäss Abbildung aufsetzen.

6 Blow the torso (see page 82) and attach it to the tail, concealing the point of attachment with a belt. Model and pull the bikini and attach as illustrated.

6 Souffler le haut du corps (voir page 82) et l'appliquer. Recouvrir les jointures vers le bas du corps avec une bande de droite à gauche. Modeler le bikini, le tirer et l'appliquer comme sur l'illustration.

6 Soffiare il torso come a pagina 82 ed applicarlo. Coprire la giunta tra torso e parte inferiore del corpo con un nastro da destra e da sinistra. Modellare il bikini, tirarlo ed applicarlo come nell'immagine.

7

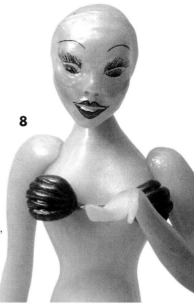

8 Den Kopf gemäss Seite 83 blasen, schminken und aufsetzen.

8 Blow, make up and attach the head (see page 83).

8 Souffler la tête (voir page 83), maquiller et appliquer.

8 Soffiare la testa come a pagina 83, truccarla ed applicarla.

8

9 Für die Haare werden zuerst vier bis fünf leicht gewellte lange Bänder vom Nacken bis zum Felsen angesetzt. Halskette umlegen. Anschliessend gemäss Abbildung von der Schulter bis zur Stirn mit kleinen streifenartig gezogenen Bändern die Haarpracht arrangieren. In Kristallzucker gerollte Kugel als Perle in die Hand legen.

9 For the hair, first attach four or five slightly wavy long bands that should reach from the neck to the heels. Place a necklace around the neck. Now arrange the hair from the shoulders to the forehead, using small pulled strips. A pearl made of a ball rolled in granulated sugar can be placed in the hand.

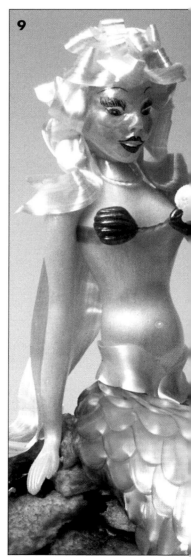

9

7 Die Arme und Hände werden aus einem Keil analog Buch 1 Seite 112 schlank modelliert und angesetzt.

7 Model slender arms and hands from a wedge (see book 1, page 112) and attach them to the body.

7 Les bras et les mains sont modelés finement d'un coin (voir livre 1, page 112) et appliqués.

7 Modellare le braccia e le mani gracili da un cuneo come nel libro 1, pagina 112 ed attaccarli.

9 Pour les cheveux, appliquer en premier quatre à cinq bandes longues légèrement ondulées du cou jusqu'au rocher. Poser le collier. Ensuite, comme sur l'illustration, de l'épaule jusqu'au front, avec de petites bandes striées, arranger la chevelure. Mettre dans la main une boule roulée dans le sucre cristallisé et figurant une perle.

9 Per i capelli formare prima tra quattro e cinque nastri lunghi leggermente ondulati ed attaccarli dalla nuca fino alla roccia. Mettere la collana. Dopo disporre la capigliatura dalla spalla alla fronte, con piccoli nastri striati come nell'immagine. Posare nella mano, come perla una palla arrotolata nello zucchero cristallino.

10 Den Oberkörper leicht mit Airbrush braun schattieren. Hintergrund befestigen und mit der Stütze verstärken. Die Stütze wird sogleich mit Felsenzucker abgedeckt.

10 Slightly shade the upper part of the body with the airbrush. Attach the background and strengthen with the support. Cover the support immediately with rock sugar.

10 Ombrer légèrement le haut du corps avec l'airbrush en brun. Fixer l'arrière-plan et le renforcer avec un tuteur. Le tuteur est aussi recouvert de sucre roche.

10 Ombreggiare leggermente il torso di marrone con l'airbrush. Fissare lo sfondo e rinforzarlo con l'appoggio. Coprire l'appoggio subito con dello zucchero roccia.

11 Felsenzucker mit Airbrush spritzen. Als Unterwasserpflanzen werden gesponnener, leicht grün gefärbter Zucker und Perlen gemäss Buch 1 Seite 162 häufchenweise auf den Felsenzucker gepresst. Den Boden um die Meerjungfrau mit Wasserzucker dekorieren.

11 Spray the rock sugar with the airbrush. Underwater plants can be created from spun, slightly green tinted sugar and pearls (see book 1, page 162) and pressed onto the rock sugar in clumps. Decorate the base around the mermaid with water sugar.

11 Pulvériser le sucre roche avec l'airbrush. Comme plante sous-marine, presser par petits tas du sucre filé, légèrement teint en vert et des perles sur le sucre roche (voir livre 1, page 162). Décorer le fond autour de la sirène avec du sucre eau.

11 Verniciare a spruzzo lo zucchero roccia con l'airbrush. Come piante sottomarine pressare sullo zucchero roccia piccoli mucchietti di zucchero filato e perle tinti leggermente di verde come nel libro 1, pagina 162. Decorare il fondo attorno alla sirenetta di zucchero acqua.

12 Um die Unterwasserwelt nach oben abzugrenzen, mehrere Wasserscheiben waagrecht aufsetzen. Über dem Wasser mit Felsen, Blumen und Blättern gemäss Abbildung verzieren.

12 To cut off the underwater world at the top, mount several slates of water horizontally. Decorate the part of the decoration that is above water with rocks, flowers and leaves as illustrated.

12 Pour délimiter le monde sous-marin vers le haut, superposer horizontalement plusieurs tranches d'eau. Décorer au-dessus de l'eau avec des rochers, des fleurs et des feuilles comme sur l'illustration.

12 Per delimitare il mondo sottomarino verso l'alto, sovrapporre orizzontalmente parecchie «fette» di acqua. Decorare al di sopra dell'acqua con rocce, fiori e foglie come nell'immagine.

OBERKÖRPER
TORSO
HAUT DU CORPS
TORSO

1 Zuckerkugel gleichmässig dehnen, oben den Hals modellieren und leicht in die Länge ziehen.

1 Inflate a ball of sugar evenly, model the neck at the top and pull lengthwise slightly.

1 Dilater régulièrement une boule de sucre, modeler en haut le cou et le tirer légèrement en longueur.

1 Dilatare regolarmente una palla di zucchero, sopra modellare il collo e tirarlo leggermente in lungo.

2 Die vordere Seite mit dem Spiritusbrenner erwärmen und sofort rechts und links die Brüste modellieren.

2 Warm the front side with the methylated spirits burner and immediately model the right and left breasts.

2 Réchauffer la partie avant avec la lampe à alcool et modeler immédiatement les seins à droite et à gauche.

2 Riscaldare la parte anteriore con il bruciatore a spirito e modellare subito il seno a destra ed a sinistra.

3 Von der Kugel wegziehen, bei der Taille mit Daumen und Zeigefinger zusammendrücken und zuletzt den Nabel mit der Spitze der Schere eindrücken.

3 Pull away from the ball, press together with the thumb and index finger to form the waistline, then notch the navel with the point of the scissors.

3 Détacher de la boule, serrer à la taille avec le pouce et l'index et enfoncer à la fin le nombril avec la pointe des ciseaux.

3 Staccare dalla palla, serrare alla vita con il pollice e l'indice ed imprimere l'ombelico con la punta delle forbici.

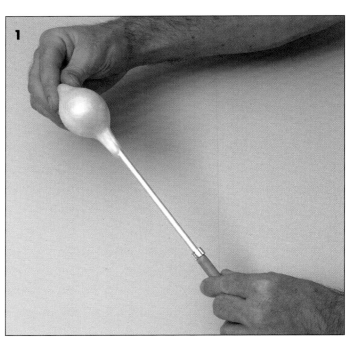

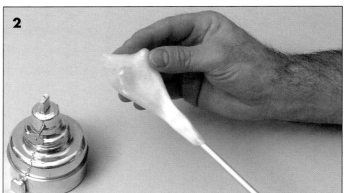

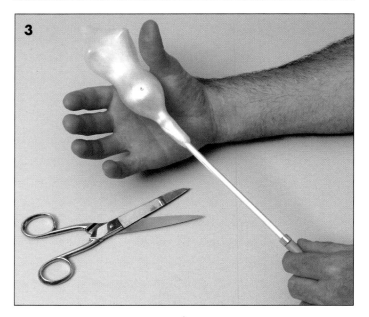

MR. FABILO SAGT:
Sehr oft entstehen beim Modellieren der Brüste Falten. Um diese zu verhindern, muss bei Schritt Nr. 2 mehrmals erwärmt werden.

MR. FABILO SAYS:
Creases often appear while modelling the breasts. To prevent this, warm up several times during step 2.

MR. FABILO DIT:
Des plis se forment très souvent lors du modelage des seins. Pour les éviter, il faut réchauffer plusieurs fois lors de l'opération 2.

MR. FABILO DICE:
Spesso si creano delle pieghe nel modellare il seno. Per evitarle riscaldate parecchie volte durante il passo n° 2.

KOPF
HEAD
TÊTE
TESTA

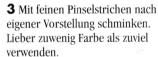

1 Die Grundform gemäss Buch 1 Seite 138 in der Silikon-Kautschuk-Gesichtsform blasen. Die Kugel muss dabei genügend warm sein, damit die Nase und die übrigen Gesichtsteile gleichmässig stark geprägt werden.

1 Blow the face, using the silicone rubber face mould (see book 1, page 138). The ball must be warm enough for the nose and the other parts of the face to be evenly stamped.

1 Souffler la forme de base (voir livre 1, page 138) dans la forme du visage en silicone-caoutchouc. La boule doit pour cela être assez chaude pour que le nez et les autres parties du visage puissent être estampés uniformément.

1 Soffiare la forma di base come nel libro 1 pagina 138 nella forma del viso in silicone-caucciù. La palla deve essere abbastanza calda perché si formino regolarmente il naso e le altre parti del viso.

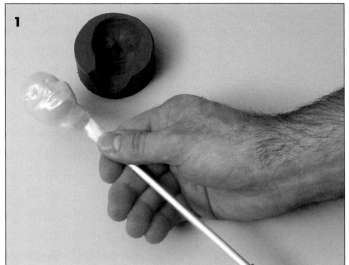

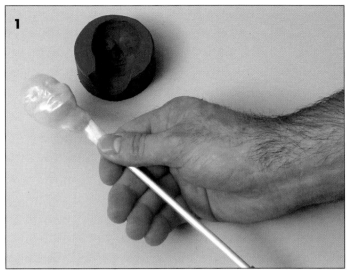

2 Unverzüglich danach kann die Gesichtsform verändert werden. Ob Frauen- oder Männerkopf, jedes Gesicht lässt sich individuell gestalten.

2 The shape of the face can be modified immediately after step 1. Faces – whether for men or women – can be created individually.

2 Immédiatement après, on peut changer la forme du visage. Tête de femme ou d'homme, chaque visage se laisse former individuellement.

2 Subito dopo si può cambiare la forma del viso sia esso di donna o di uomo, ogni viso può essere formato individualmente.

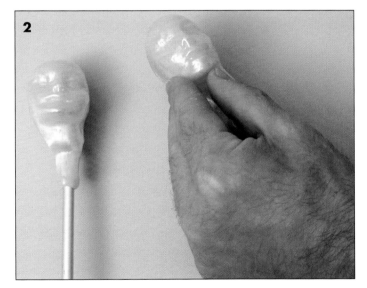

3 Mit feinen Pinselstrichen nach eigener Vorstellung schminken. Lieber zuwenig Farbe als zuviel verwenden.

3 Apply make-up with a fine paint-brush according to your own imagination. It is better to use too little colour than too much.

3 Avec des coups de pinceau fins, maquiller selon sa propre imagina-tion. Utiliser plutôt moins que trop de couleur.

3 Con sottili tratti di pennello truc-care secondo la propria immagina-zione. È meglio usare troppo poco colore che troppo.

PERLENMASSE, EINFACHER UND RATIONELLER

Anstelle des Zuckers werden die Perlen immer öfters für die Zuckerartistik verwendet. Die Vorteile, wie die geringe Hygroskopizität und die einfache und rationelle Anwendung übertreffen die Saccharose immer mehr. Selbst der letzte Minuspunkt der Perlenmasse konnte endlich beseitigt werden: die Herabsetzung der Verarbeitungstemperatur.
Wenn die Perlen wie auf den Seiten 24 und 25 geschmolzen und verarbeitet werden, weist die Perlenmasse eine Verarbeitungstemperatur von 65°C bis 70°C auf. Diese Temperatur liegt 15°C bis 20°C höher als bei der herkömmlichen Zuckermasse. Durch nachträgliche Beigabe von Wasser kann die Perlenmasse nun auch auf 50°C bis 55°C Verarbeitungstemperatur gehalten werden. Es gibt somit keinen Unterschied mehr zwischen Perlen- oder Zuckermasse beim Ziehen oder Blasen.

PEARL MASS, SIMPLER AND MORE EFFICIENT

Pearls are increasingly used in sugar art in place of sugar. Their advantages, above all their low hygroscopic level and simple and efficient method of use, mean that they are slowly replacing saccharose. Even the negative factor regarding the high working temperature of the pearls has finally been overcome.
When melted and handled as described on pages 24 and 25 the pearl mass has a working temperature of 65°C to 70°C – some 15°C to 20°C higher than conventional sugar mass. By adding water at a later stage the working temperature of the pearl mass is reduced to between 50°C and 55°C. Therefore, no difference is apparent between the pearl and sugar masses for pulling and blowing purposes.

MASSE DE PERLES, PLUS SIMPLE ET PLUS RATIONNEL

Les perles sont de plus en plus souvent employées à la place du sucre dans les arts du sucre. Les avantages, comme l'hygroscopie minime et l'emploi simple et rationnel, surpassent de plus en plus le saccharose. Même le dernier point négatif de la masse de perles a enfin pu être dissipé: l'abaissement de la température de transformation. Si les perles sont fondues et transformées comme aux pages 24 et 25, la masse de perles indique une température de 65 °C à 70 °C. Cette température est supérieure de 15 °C à 20 °C à celle de la masse de sucre conventionnelle. Par un ajout ultérieur d'eau, la température de la masse de perles peut à présent aussi être maintenue à une température de transformation de 50 °C à 55 °C. De ce fait, il n'y a plus de différence entre la masse de perles ou de sucre pour le tirage et le soufflage.

MASSA DI PERLE, PIÙ SEMPLICE E PIÙ RAZIONALE

Le perle vengono usate sempre più spesso al posto dello zucchero nell'arte dello zucchero. I vantaggi come la minima igroscopicità e l'uso semplice e razionale continuano a superare la saccarosa. Perfino l'ultimo punto negativo della massa di perle è stato eliminato finalmente: l'abassamento della temperatura di lavorazione. Con la tecnica di fondere e lavorare le perle, citata a pagina 24 e 25, la massa di perle indica una temperatura tra i 65° e 70° C. Questa temperatura è superiore di tra i 15° e 20° C a quella della massa di zucchero convenzionale. Con l'aggiunta supplementare d'acqua la massa di perle può essere mantenuta ora ad una temperatura di lavorazione di tra i 50° e 55° C. Non persiste così nessuna differenza tra la massa di zucchero e di perle per lo stiramento e la soffiatura.

DIE HERSTELLUNG DER PERLENMASSE

Zutaten:
1kg Perlen
20 g Wasser

HOW TO PRODUCE THE PEARL MASS

Ingredients:
1 kg pearls
20 g water

LA PRODUCTION DE LA MASSE DE PERLES

Ingrédients:
1 kg de perles
20 g d'eau

LA PRODUZIONE DELLA MASSA DI PERLE

Ingredienti:
1 kg di perle
20 g d'acqua

1 Die weissen Perlen in einer Pfanne, ohne Wasser, Glukose oder Weinsteinsäure auflösen und bis auf 180°C erhitzen.

1 Melt the white pearls in a pan, without adding any water, glucose or tartaric acid and heat to 180°C.

1 Dissoudre les perles blanches dans une casserole sans eau, glucose ou acide tartrique et réchauffer jusqu'à 180 °C.

1 Sciogliere le perle bianche in una pentola senza aggiungerci acqua, glucosa o acido tartarico e riscaldare fino a 180° C.

2 Die Pfanne in einem kalten Wasserbad abschrecken.

2 Immerse the pan in cold water.

2 Tremper la casserole dans un bain d'eau froide.

2 Immergere la pentola nell'acqua fredda.

3 Unter ständigem Umrühren mit dem Thermometer die 20 g Wasser in vier Intervallen beifügen. Achtung: Spritzgefahr!

3 Add 20 g water in four stages whilst continuously stirring with the thermometer. Be careful: The pearl mass tends to spit!

3 En remuant continuellement avec le thermomètre, ajouter les 20 g d'eau en quatre intervalles. Attention: danger d'éclaboussures!

3 Aggiungere i 20 g di acqua in quattro intervalli girando continuamente con il termometro. Attenzione: la massa di perle può schizzare!

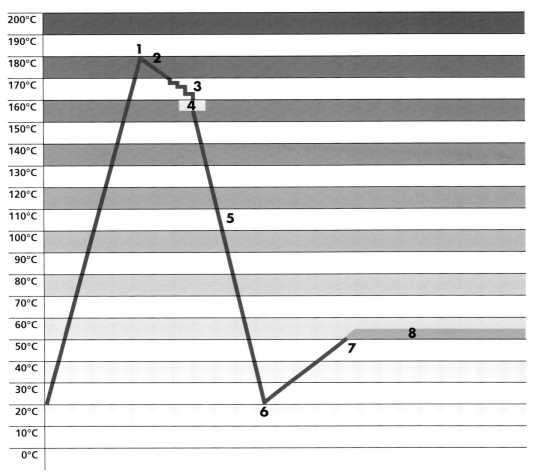

7 Unter der Wärmelampe oder im Mikrowellenofen schmelzen und gemäss Buch 1 Seite 33 zum Seidenglanz ziehen.

7 Melt under the heating lamp or in the micro-wave and pull to the shiny sheen as described in book 1, page 33.

7 Fondre sous la lampe à chaleur ou dans le four à micro-ondes et tirer vers le brillant soyeux comme décrit dans le livre 1, page 33.

7 Fondere sotto la lampada da riscaldatore o nel forno a microonde e tirare, come nel libro 1 pagina 33, fino ad ottenere la lucentezza serica.

8 Verarbeitungtemperatur 50°C bis 55°C.

8 Working temperature 50°C to 55°C.

8 Température de transformation de 50 °C à 55 °C.

8 Temperatura di lavorazione tra i 50° C a 55° C.

4 Die Perlenmasse weist nun eine Temperatur von 155°C bis 160°C auf.

4 The pearl mass now has a temperature of 155°C to 160°C.

4 La masse de perles indique à présent une température de 155 °C à 160 °C.

4 La massa di perle indica ora una temperatura tra i 155° C a 160° C.

5 Zum Abkühlen auf eine Giessmatte oder auf einen geölten Marmor giessen.

5 Cast onto a casting mat or oiled marble to cool down.

5 Pour refroidir, couler sur une toile antiadhésive ou sur un marbre huilé.

5 Per raffreddare versare su una tela antiadesiva o su una lastra di marmo oliata.

6 Die Platten mit einem Hammer zerkleinern und in einem luftdichten Gefäss mit Kalksteinen oder Silicagel blau aufbewahren.

6 Break the slates with a hammer and store in an air-tight container with quicklime or silicagel blue.

6 Mettre les plaques en menus morceaux avec un marteau et les conserver dans un récipient hermétique à l'air avec de la chaux vivre ou du silicagel bleu.

6 Frantumare le lastre così ottenuto con il martello e conservarle in un contenitore ermetico aggiungendoci delle pietre calcaree o del silicagel blu.

MR. FABILO SAGT:
Je weniger Wasser beigefügt wird, desto unerträglicher wird die Verarbeitungstemperatur.

MR. FABILO SAYS:
The less water added, the less tolerable the working temperature.

MR. FABILO DIT:
Si l'on ajoute peu d'eau, la température de transformation est d'autant plus insupportable.

MR. FABILO DICE:
Meno acqua aggiungete, meno sarà sopportabile la temperatura di lavorazione.

«JOSCHY», DER DEUTSCHE SCHÄFERHUND

«JOSCHY» THE ALSATIAN

«JOSCHY», LE CHIEN DE BERGER ALLEMAND

«JOSCHY», IL CANE PASTORE TEDESCO

Ob Eichhörnchen, Katze oder Esel, die Grundtechnik «Fell imitieren» bleibt immer dieselbe. Dabei spielen die richtigen Proportionen des Tierkörpers eine bedeutende Rolle und entscheiden am Schluss über den Erfolg des Schaustückes. Da das geblasene Objekt nachträglich mit gesponnenem Zucker oder mit Perlen überdeckt wird, darf bei der Grundform geringfügig ausgebessert werden.

Whether you are creating a squirrel, a cat or a donkey, the basic technique of «imitation fur» remains the same. For a successful showpiece it is essential that the body of the animal should be correctly proportioned. The blown object will later be covered with spun sugar or pearls, so that slight corrections may be made to the basic figure.

Que ce soit pour un écureuil, un chat ou un âne, la technique de base «imiter le pelage» reste toujours la même. Pour cela, les justes proportions du corps de l'animal jouent un rôle important et décident en fin de compte du succès de la pièce. Comme l'objet soufflé est plus tard recouvert de sucre filé ou de perles, on peut corriger légèrement la forme de base.

Se si tratti di uno scoiattolo, un gatto od un asino, la tecnica di base «imitare il pelo» rimane sempre la stessa. Inoltre le giuste proporzioni del corpo dell'animale giocano un ruolo importante e decidono alla fine il successo del pezzo. Visto che l'oggetto soffiato viene coperto in seguito di zucchero filato o di perle, la forma di base può essere corretta leggermente.

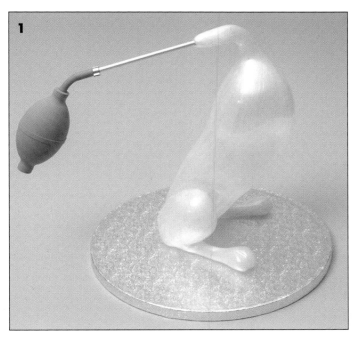

1 Den Körper und die Hinterschenkel gemäss Seite 64 blasen und zusammensetzen. Es ist darauf zu achten, dass beim Körper unten schmal und gegen oben zur Brust hin breit geblasen wird, um die typische Form des Hundekörpers zu erhalten.

1 Blow and assemble the body and the hind legs (see page 64). Ensure that the body is blown narrow at the bottom and wider towards the breast in order to obtain the typical shape of the dog's body.

1 Souffler et assembler le corps et les cuisses arrière (voir page 64). Il est à remarquer que pour le corps, on souffle étroitement en bas et plus haut, vers la poitrine, largement afin d'obtenir la forme typique du corps du chien.

1 Soffiare il corpo e le coscie posteriori come a pagina 64 ed unire i pezzi. Bisogna fare attenzione a soffiare il corpo sotto stretto e più in alto, verso il petto, più largo per ottenere la tipica forma del corpo di cane.

2 Die Vorderschenkel werden direkt angesetzt. Das Blasen erfolgt wie auf Seite 65, wir brauchen jedoch nur die geraden Beine und die Tatzen. Noch im warmen Zustand mit der Schere von der Kanüle abschneiden, oben öffnen und am Körper ansetzen. Den Schwanz auf die erforderliche Grösse blasen, abkühlen und anfügen.

2 Attach the forelegs directly. Blow as explained on page 65; this time, however, we will only need the straight legs and the paws. Cut away from the tube with the scissors while still warm, open at the top and attach to the body. Blow the tail to the required size, cool and attach to the body.

2 Les cuisses avant sont fixées directement. Le soufflage suit (voir page 65), mais nous n'avons besoin que des jambes droites et des pattes. Détacher encore chaud de la canule avec les ciseaux, ouvrir en haut et fixer au corps. Souffler la queue à la grandeur nécessaire, refroidir et fixer.

2 Le gambe anteriori vengono applicate direttamente. Soffiarle come a pagina 65, ma qui servono solo le gambe diritte e le zampe. Con le forbici staccare le gambe ancora calde dalla cannula, aprirle in alto ed attaccarle al corpo. Soffiare la coda alla grandezza richiesta, raffreddarla e aggiungerla.

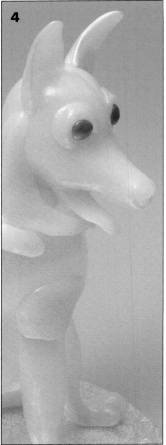

3 Für den Kopf wird eine Kugel tropfenförmig geblasen, wobei die Wandung der Kugel im Bereich der Schnauze sehr dick sein muss. Beim Mund mit der Spitze der Schere einschneiden, damit der Unterkiefer modelliert werden kann. Die Nase mit einem runden Ausstecher markieren.

3 For the head, blow a ball of sugar into the form of a teardrop; the walls of the ball must be very thick in the region of the muzzle. For the mouth, make a cut with the point of the scissors, so that the lower jaw can be modelled. Mark the nose with a round cutter.

3 Pour la tête, souffler une boule en forme de goutte; la paroi de la boule dans la zone du museau doit être très épaisse. Près de la bouche, entailler avec la pointe des ciseaux afin de pouvoir modeler la mâchoire inférieure. Le nez est marqué avec un découpoir rond.

3 Per la testa, soffiare una palla a forma di goccia e rendere molto spessa la parete nella zona del muso. Intagliare con la punta delle forbici vicino alla bocca per poter modellare la mascella inferiore. Marcare il naso con uno stampino rotondo.

4 Ohren, Augen und Halsverbreiterung analog der Abbildung ansetzen. Sollte die Grundform des Hundes noch ein paar Mängel aufweisen, so könnte sie jetzt noch ausgebessert werden wie hier, wo beispielsweise beim Vorderschenkel noch etwas Volumen fehlte.

4 Attach the ears, eyes and enlargement for the neck as illustrated. Should the basic shape of the dog need correction, now is the time to do so, e.g. perhaps the forelegs need a bit more volume.

4 Fixer les oreilles, les yeux et l'élargissement du cou comme sur l'illustration. Au cas où la forme de base du chien présente encore quelques défauts, c'est le moment de la corriger, comme ici où il manque un peu de volume à la cuisse avant.

4 Attaccare le orecchie, gli occhi e l'allargamento del collo come nell'immagine. Se la forma di base del cane dovesse dimostrare ancora alcuni errori, possono essere corretti adesso come qui, se manca per esempio un po' di volume alla gamba anteriore.

5 Nase und Augen mit Klebband abdecken und die ganze Figur mit einem nassen Lappen befeuchten, bis er überall klebt.

5 Cover the nose and eyes with sticky tape and moisten the whole figure with a wet cloth so that the entire surface is sticky.

5 Recouvrir le nez et les yeux avec de la bande adhésive et humidifier toute la figure avec un chiffon mouillé jusqu'à ce que cela colle partout.

5 Coprire il naso e gli occhi con un nastro adesivo e umidificare tutta la figura con un panno bagnato, finché sia appiccicoso da tutte le parti.

6

7

6 Nun erhält der Hund sein Fell. Mit gesponnenem Zucker oder mit Perlen wird er von unten nach oben Stück für Stück bedeckt. Der gebildete Sirup von Schritt Nr. 5 dient als Kleber, und das Fell bleibt überall gleichmässig haften.

6 To create the dog's fur, cover the figure with spun sugar or pearls, starting at the bottom and working upwards, piece by piece. The syrup which has formed during step 5 will act as an adhesive, so that the fur sticks evenly over the whole surface.

6 Le chien est doté à présent de son pelage. Avec du sucre filé ou des perles, il est recouvert morceau après morceau du bas vers le haut. Le sirop formé par l'opération 5 sert de colle et le pelage adhère partout régulièrement.

6 Ora il cane riceve il suo pelo. Con dello zucchero filato o con perle viene coperto pezzo per pezzo verso l'alto. Lo sciroppo preparato nel passo n° 5 serve come adesivo e in questo modo il pelo rimane attaccato dappertutto regolarmente.

7 Mund, Augen und Nase bleiben frei, alles weitere wird gleich-mässig abgedeckt. Damit das Fell nicht zu wild wird, muss es mehr-mals mit der flachen Hand ange-drückt werden. Augen und Nase schwarz malen.

7 Leave the mouth, eyes and nose free. Cover the rest of the body evenly. Press the fur several times with your palm, so that it does not become too shaggy. Paint the eyes and nose black.

7 La bouche, les yeux et le nez restent dégagés, tout le reste est recouvert régulièrement. Pour éviter un pelage hérissé, le presser plusieurs fois du plat de la main. Peindre en noir les yeux et le nez.

7 La bocca, gli occhi ed il naso rimangono liberi, tutto il resto viene ricoperto regolarmente. Per evitare che si formi un pelo arruffato, bisogna pressarlo diverse volte con la mano aperta. Dipingere di nero gli occhi ed il naso.

8 Mit dem Airbrush gemäss Abbildung gelb, braun und schwarz spritzen. Erst dann wird «Joschy», der Deutsche Schäferhund, auf dem aus Zucker oder Perlen gegossenen Boden befestigt.

8 Using the airbrush, spray the figure yellow, brown and black as illustrated. Only at this point should you attach «Joschy» the Alsatian to the base which is made of cast sugar or pearls.

8 Pulvériser avec l'airbrush comme sur l'illustration en jaune, brun et noir. Seulement maintenant «Joschy», le chien de berger allemand, est fixé sur le fond en sucre ou en perles.

8 Con l'airbrush verniciarlo a spruzzo di giallo, marrone e nero come nell'immagine. Solo ora «Joschy», il pastore tedesco, viene attaccato sul fondo di zucchero o di perle.

MR. FABILO SAGT:
Obschon die Grundform nur in groben Zügen angefertigt wird, müssen die Proportionen der einzelnen Teile perfekt zueinander passen. Die Masse der Skizze müssen stets 1:1 mit dem Modell übereinstimmen.

MR. FABILO SAYS:
Although the basic figure is only a rough model, the proportions of the individual parts of the body must correspond perfectly. The measurements of the rough model must always correspond 1:1 with the finished model.

MR. FABILO DIT:
Bien que la forme de base n'est qu'esquissée à grands traits, les proportions des différentes parties doivent s'accorder parfaitement. Les dimensions de l'esquisse doivent toujours correspondre 1:1 avec le modèle.

MR. FABILO DICE:
Anche se la forma di base viene creata solo a larghi tratti, le proporzioni delle singole parti devono corrispondere perfettamente. Le dimensioni dello schizzo devono concordare sempre 1:1 con il modello.

9 Zum Schluss die Zähne und die Zunge einsetzen. Für einen scharfen und aufmerksamen Blick wird ein kleiner Punkt von weisser Lebensmittelfarbe ins Auge gesetzt.

9 Insert the teeth and tongue as a finishing touch. To give the dog an alert, attentive appearance, add a dot of white food colouring to each eye.

9 Fixer à la fin les dents et la langue. Appliquer un petit point dans l'œil avec de la couleur alimentaire blanche pour avoir un regard aigu et attentif.

9 Alla fine inserire i denti e la lingua. Per ottenere uno sguardo acuto ed attento viene inserito nell'occhio un piccolo punto bianco di colore alimentare.

NEUJAHRS-FEUERDRACHEN

FIERY NEW YEAR'S DRAGON

DRAGON DE FEU DU NOUVEL-AN

DRAGO DI FUOCO DELL' ANNO NUOVO

1 Es ist für mich eine grosse Ehre, im Rahmen dieses Buches die finnische Zuckerartistik zu präsentieren. Dieses grossartige Handwerk zu beherrschen ist zwar anspruchsvoll, aber absolut lernbar. Jede Stunde, mit der ich mich damit auseinandersetze, bringt neue Erkenntnisse und Entdeckungen, die mich selbst nach mehreren Jahren immer wieder neu faszinieren.

Mein Schaustück widme ich China, einem bezaubernden Land, das mich als Gastarbeiter in Peking vor mehreren Jahren beruflich und privat entscheidend prägte. Der Drache, das Symbol zum Chinesischen Neujahr, bringt Glück, Gesundheit und Wohlergehen, und das gleiche wünsche ich all den Liebhabern dieses aussergewöhnlichen Handwerkes.

1 For me, it is a great honour to present Finland's sugar art in this book. It is not easy to master this magnificent craft, but learning it is open to anyone. Every hour I spend engaged in sugar art brings me fresh ideas and discoveries that never fail to fascinate me, even after several years' practical experience.

I dedicate my showpiece to China, a fascinating country that made a deep impression on me, both in my private life and in my profession, while I was working in Peking a few years ago. The dragon – symbol of the Chinese New Year – brings luck, health and prosperity, and I wish the same to all lovers of this extraordinary craft.

Gast-Zuckerartist: Petri Nieminen, Hameenlinna, Finnland
Guest sugar artist: Petri Nieminen, Hameenlinna, Finland
Artiste du sucre invité: Petri Nieminen, Hameenlinna, Finlande
Artista dello zucchero invitato: Petri Nieminen, Hameenlinna, Finlandia

1 C'est pour moi un grand honneur, dans le cadre de ce livre, de présenter l'art du sucre finnois. Maîtriser ce métier passionnant est certes exigeant, mais absolument assimilable. Chaque heure que je passe à l'exercer m'apporte de nouvelles connaissances et découvertes qui, même après quelques années de pratique, arrivent à me fasciner à nouveau.

Je dédie ma pièce à la Chine, un pays enchanteur qui a réussi, il y a quelques années, en tant que travailleur étranger à Pékin, à m'influencer décisivement aussi bien sur le plan professionnel que privé. Le dragon, symbole du Nouvel-An chinois, est synonyme de bonheur, de santé et de prospérité, souhaits que je formule à l'encontre de tous les amateurs de ce métier extraordinaire.

1 È un grande onore poter presentare l'arte dello zucchero finlandese in questo libro. Non è certo facile essere padrone di quest'arte meravigliosa, ma è assolutamente apprendibile. Ogni ora che ci dedico mi porta a nuove conoscenze e scoperte che mi affascinano sempre di nuovo, anche dopo tanti anni.

Dedico il mio oggetto da mostra alla Cina, un paese incantevole che è riuscito a influenzare la mia vita privata e quella professionale, quando stavo lavorando a Pechino parecchi anni fa. Il drago è il simbolo dell'Anno Nuovo, porta fortuna, salute e prosperità, tutte cose che io auguro a tutti gli amatori di questo mestiere straordinario.

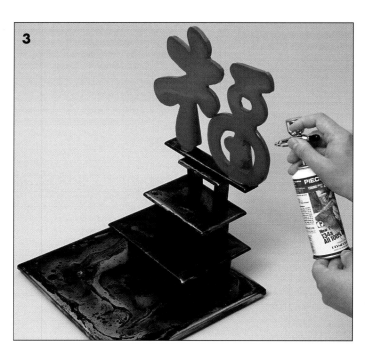

2 Die 1 cm dicken Platten für den Aufsatz, mit schwarzer Farbe und Goldpulver marmoriert, giessen. Schriftzug für die Neujahrsglück-wünsche im Plastilin, Randung leicht geölt, ausgiessen.

2 Cast the 1 cm-thick plaque for the base, marbled with black colour and gold powder. Cast the lettering for the New Year's greeting in plasticine, with slightly oiled edges.

3 Mit den Stützen verstärkt, aufsetzen und mit dem Airbrush schattieren.

3 Mount the lettering, reinforced with supports, and shade it with the airbrush.

3 Renforcés par les tuteurs, les appliquer et les ombrer avec l'airbrush.

3 Rinforzarla con gli appoggi, applicarla ed ombreggiarla con l'airbrush.

2 Couler la plaque de 1 cm d'épaisseur servant de dessus en la marbrant avec de la couleur noire et de la poudre d'or. Vider le graphisme des souhaits de Nouvel-An dans la plastiline en huilant légèrement les bords.

2 Colare piastre di uno spessore di 1 cm per la base, marmorizzandola con del color nero e polvere d'oro. Colare nella plastilina la scrittura degli auguri per l'Anno Nuovo, oliando leggermente i bordi.

4 Drachenkörper gemäss Seite 96 blasen und so aufsetzen, dass der Körper dem Schriftzug eine zusätzliche Stütze von vorne gibt.

4 Blow the body of the dragon (see page 96) and mount it so that it gives the lettering additional support from the front.

4 Souffler le corps du dragon (voir page 96) et l'appliquer de manière à ce qu'il donne au graphisme un soutien complémentaire à partir de l'avant.

4 Soffiare il corpo del drago come a pagina 96 ed applicarlo in maniera che dà alla scrittura un supplementare appoggio dal davanti.

94

5 Die Beine gemäss Buch 1 Seite 147 blasen und im warmen Zustand anpassen. Die Zehen werden separat angesetzt.

5 Blow the legs (see book 1, page 147) and shape as desired while still warm. Attach the claws separately.

5 Souffler les pattes (voir livre 1, page 147) et les adapter encore chaudes. Les orteils sont fixés séparément.

5 Soffiare le gambe, come nel libro 1, pagina 147 ed adattarle ancora calde. Le dita vengono attaccate separatamente.

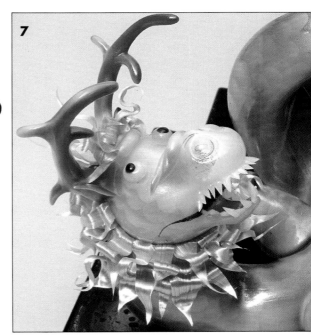

6 Um die Schuppen möglichst rationell imitieren zu können, verwendet man eine Plastikschablone, die mit blauer Farbe bespritzt wird.

6 In order to imitate the scales as efficiently as possible, use a plastic template, sprayed with blue colouring.

7 Den Kopf gemäss Seite 97 anfertigen und aufsetzen. Dekorationen wie modelliertes Geweih, streifengezogene Hals- und Rückenhaare und geblasene Feuerkugeln analog der Abbildung aufsetzen.

7 Form the head as shown on page 97 and attach it to the body. Add decorations such as modelled horns, pulled striped mane and blown balls of fire as illustrated.

7 Confectionner et appliquer la tête (voir page 97). Appliquer les décorations (ramure modelée, poils rayés du cou et du dos, boules de feu soufflées) d'après l'illustration.

7 Formare la testa come a pagina 97 ed attaccarla. Applicare delle decorazioni come nell'immagine: delle corna modellate, dei peli striati del collo e della schiena e delle palle di fuoco soffiate.

6 Afin de pouvoir imiter rationnellement les écailles, on emploie un pochoir en plastique aspergé de couleur bleue.

6 Per poter imitare le squame in maniera razionale, si usa uno stampo di plastica asperso di colore blu.

DRACHENKÖRPER
DRAGON'S BODY
CORPS DU DRAGON
CORPO DEL DRAGO

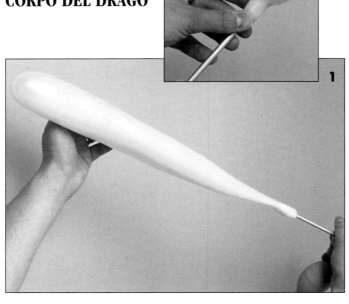

1 Grosse Zuckerkugel, über 800 g, ansetzen und mit viel Feingefühl gleichmässig kegelförmig dehnen.

1 Take a large ball of sugar (over 800 g) and carefully pull it lengthways into an evenly shaped cone.

1 Préparer une grosse boule de sucre de plus de 800 g et la dilater régulièrement et coniquement avec beaucoup de doigté.

1 Prendere una grande palla di zucchero di più di 800 g e prudentemente dilatarla regolarmente a forma di cono.

2 Unverzüglich mehrmals um einen Rundholzstab von mindestens 60 cm Länge rollen.

2 Immediately wrap it several times around a wooden baton (at least 60 cm long).

2 L'enrouler immédiatement plusieurs fois autour d'une baguette ronde en bois d'au moins 60 cm de long.

2 Arrotolarlo subito parecchie volte intorno ad una bacchetta rotonda di legno di una lunghezza minima di 60 cm.

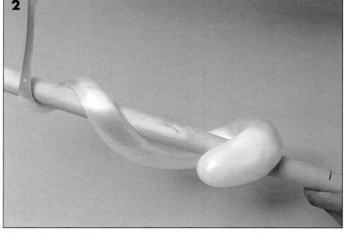

MR. FABILO SAGT:
Während des Abkühlens unter dem Fön sollte der Holzstab ununterbrochen hin und her gedreht werden, damit sich der geblasene Drachenkörper nicht festsetzen kann.

MR. FABILO SAYS:
During cooling down under the hairdryer, continually rotate the wooden baton back and forth to prevent the blown dragon body from sticking.

MR. FABILO DIT:
Pendant le refroidissement au moyen du sèche-cheveux, la baguette en bois doit être tournée en un va-et-vient incessant pour éviter que le corps soufflé du dragon ne se fixe.

MR. FABILO DICE:
Durante il raffreddamento sotto l'asciugacapelli dovreste continuamente girare avanti ed indietro la bacchetta di legno per evitare che il corpo soffiato del drago ci si attacchi.

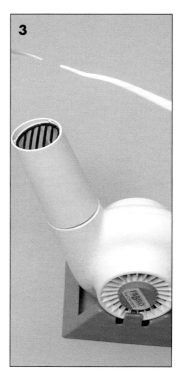

3 Das Schwanzende mit der heissen Luft des Fönes abtrennen.

3 Break off the end of the tail with hot air from the hairdryer.

3 Détacher le bout de la queue avec l'air chaud du sèche-cheveux.

3 Staccare la punta della coda con l'aria calda dell'asciugacapelli.

DRACHENKOPF
DRAGON'S HEAD
TÊTE DU DRAGON
TESTA DEL DRAGO

1 Aus einer Kugel durch gleich-mässiges Dehnen eine zweite formen.

1 Take one ball of sugar and form a second ball from it by inflating evenly.

1 D'une boule, par une dilatation régulière, en former une seconde.

1 Dilatare una palla regolarmente e formarne una seconda.

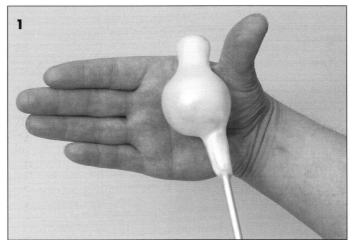

2 Sogleich den Unterkiefer her-ausmodellieren, der kompakt und ohne Hohlraum sein sollte.

2 Immediately model the lower jaw, which should be compact, without any hollow.

2 Modeler de même la mâchoire inférieure, qui devra être compacte et sans espace vide.

2 Modellare subito la mascella inferiore che dovrebbe essere compatta e senza spazio vuoto.

3 Nüstern mit einem Ausstecher einkerben.

3 Notch the nostrils with a cutter.

3 Entailler les narines avec un découpoir.

3 Intagliare le narici con uno stampino.

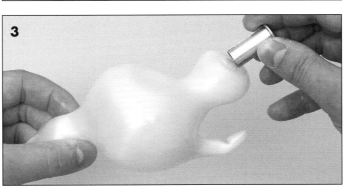

4 Den Drachenkopf abkühlen, von der Metallkanüle entfernen und gemäss Abbildung dekorieren, bevor er aufgesetzt wird.

4 Cool the head of the dragon, remove from the metal tube and decorate as illustrated before placing it on the body.

4 Refroidir la tête du dragon, la détacher de la canule en métal et la décorer comme sur l'illustration avant de l'appliquer.

4 Raffreddare la testa del drago, staccarla dalla cannula di metallo e decorarla come nell'immagine, prima di applicarla..

DIE GOLDENE TRÜFFEL

Ziehen, Blasen, streifenartiges Ziehen, Modellieren und Dekorieren sind Grundtechniken, die wir in dieser Lektion repetieren werden. Die absolute Beherrschung dieser Techniken garantiert den Erfolg beim Umsetzen der kommenden Schaustücke in diesem Lehrbuch. Der weisse Meister mit der goldenen Trüffel ist das beste Übungsschaustück, um Ihr gegenwärtiges Ausbildungsniveau zu eruieren.

THE GOLDEN TRUFFLE

Pulling, blowing, striped band pulling, modelling and decoration are basic techniques that will be practised in this lesson. Absolute mastery of these techniques guarantees success when realising the showpieces that will be demonstrated in this manual. The white-clad chef holding the golden truffle is an ideal exercise to test your skill.

LA TRUFFE D'OR

Tirer, souffler, tirer avec des rayures, modeler et décorer sont des techniques de base que nous répéterons dans cette leçon. La maîtrise absolue de ces techniques garantit le succès pour la réalisation des prochaines pièces de ce manuel. Le maître blanc avec la truffe d'or est la meilleure pièce d'exercice pour tester votre niveau de formation.

IL TARTUFO DORATO

Tirare, soffiare, tirare a strisce, modellare e decorare sono le tecniche di base che ripeteremo in questa lezione. Se sarete padroni di queste tecniche, vi sarà garantito il successo per la realizzazione dei seguenti oggetti da mostra. Il maestro bianco con il tartufo dorato è il miglior oggetto d'esercizio per scoprire il vostro attuale livello di formazione.

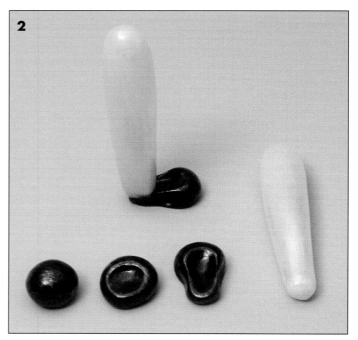

1 Den Boden und den Hintergrund mit der Stütze mit geschlämmtem Zucker oder mit Perlen giessen. Für den Marmoreffekt etwas braune und schwarze Lebensmittelfarbe beifügen.

1 Cast the ground and background with support, using opaque sugar or pearls. To obtain the marbled effect, add some brown and black food colouring.

1 Couler le fond et l'arrière-plan avec le tuteur avec du sucre opaque ou des perles. Ajouter un peu de couleur alimentaire brune et noire pour obtenir l'effet marbré.

1 Colare il fondo e lo sfondo con l'appoggio, con dello zucchero opaco o perle. Per ottenere l'effetto marmorato, aggiungerci un po' di colore alimentare marrone e nero.

2 Da das ganze Gewicht des Meisters auf den Schuhen ruht, werden sie modelliert und nicht geblasen. Die Beine werden aus einer Kugel geblasen, die Wandung sollte jedoch nicht zu fein sein. Schuhe und Beine zusammensetzen.

2 Since the whole weight of the chef will rest on his shoes, these are modelled instead of being blown. The legs are blown from a ball of sugar but the walls should not be too thin. Place the shoes and legs together.

2 Du fait que tout le poids du maître repose sur les chaussures, celles-ci sont modelées et non soufflées. Les jambes sont soufflées d'une boule, la paroi ne doit toutefois pas être trop mince. Assembler chaussures et jambes.

2 Visto che il peso del maestro posa tutto sulle scarpe, esse vengono modellate e non soffiate. Le gambe vengono soffiate da una palla, ma le pareti non devono essere troppo sottili. Unire le scarpe e le gambe.

3 Die Länge und den Umfang der Hose mit Papierstreifen messen. Die Beine im Bereich der Knie mit dem Fön rundum erwärmen, bis sie biegsam werden.

3 Measure the length and circumference of the legs with strips of paper. Using the hairdryer, warm all around the legs in the region of the knees, until they become flexible.

3 Mesurer la longueur et le tour de taille du pantalon avec des bandes de papier. Réchauffer tout autour les jambes dans la zone des genoux avec le sèche-cheveux jusqu'à les rendre pliables.

3 Misurare la lunghezza e la circonferenza dei pantaloni con una striscia di carta. Con l'asciugacapelli riscaldare le gambe tutt'intorno nella zona delle ginocchia finché si lascino curvare.

4 Die Beine mit einem streifenartig gezogenen Band gemäss Buch 1 Seite 66 einfassen, beim Knie biegen und gemäss Abbildung aufsetzen.

4 Cover the legs with a striped band (see book 1, page 66), bend at the knee and mount as illustrated.

4 Border les jambes avec une bande à rayures (voir livre 1, page 66), plier près du genou et appliquer comme sur l'illustration.

4 Ricoprire le gambe con un nastro striato, come nel libro 1, pagina 66, curvarlo nella zona delle ginocchia ed applicarlo come nell'immagine.

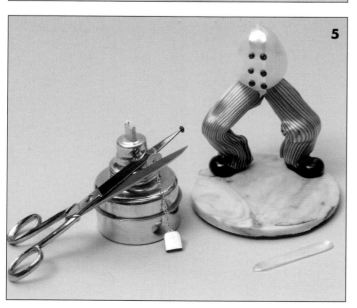

5 Oberkörper gemäss Buch 1 Seite 111 blasen und direkt aufsetzen. Gut abkühlen! Um den Jackenverschluss zu imitieren, wird auf die Brust ein Band gesetzt. Als Knöpfe kleine Kugeln abschneiden, und noch im warmen Zustand mit der leicht erwärmten Spitze der Schere auf das Band andrücken.

5 Blow the body (see book 1, page 111) and attach directly to the legs. Cool down thoroughly!

MR. FABILO SAGT:
Die erwärmten Beine auf dem Seidenbett zum Einfassen bereithalten. Nie auf den Tisch ablegen, da der Zucker zu schnell abkühlt und beim Biegen des Knies brechen könnte.

MR. FABILO SAYS:
Place the warmed legs on the silk board, ready for trimming. Never place them on the table, because the sugar will cool down too quickly and could break when the knees are bent.

MR. FABILO DIT:
Tenir prêtes les jambes réchauffées sur le dessus en soie afin de les border. Ne jamais les poser sur la table, car le sucre refroidit trop vite et peut se briser lors du pliage des genoux.

MR. FABILO DICE:
Per bordarle tenete pronte le gambe riscaldate sul letto di seta. Non appoggiatele mai sul tavolo, perché così lo zucchero si raffredda troppo velocemente e potrebbe spezzarsi nel momento in cui vengono curvate le ginocchia.

To imitate the opening of the jacket, attach a band to the breast. Cut off small balls as buttons and press them onto the band with the slightly-warmed point of the scissors.

5 Souffler et appliquer directement le haut du corps (voir livre 1, page 111). Bien refroidir! Pour imiter la fermeture de la veste, appliquer une bande sur la poitrine. Comme boutons, couper de petites boules et, encore chaudes, les presser contre la bande avec la pointe légèrement réchauffée des ciseaux.

5 Soffiare il busto ed applicarlo direttamente, come nel libro 1, pagina 111. Raffreddare bene! Per imitare la chiusura della giacca applicare un nastro sul petto. Come bottoni tagliare palline e premerle ancora calde sul nastro con la punta delle forbici leggermente riscaldata.

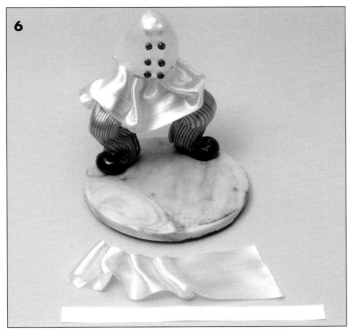

6 Die Länge der Schürze mit einem Papierstreifen messen. Sobald ein gleichmässiges, streifenartig gezogenes Band bereit liegt, mehrmals rüschenartig umlegen und ansetzen.

6 Measure the length of the apron with a strip of paper. Pull a symmetrical, striped band, immediately fold it into several ruffles and attach to the body.

6 Mesurer la longueur du tablier avec une bande de papier. Dès qu'une bande symétrique tirée à rayures est prête, la plier plusieurs fois en ruches et l'appliquer.

6 Misurare la lunghezza del grembiule con una striscia di carta. Preparare un nastro tirato regolarmente a strisce ed applicarlo formando delle gale.

7 Übergangsstelle Körper-Schürze mit einem feinen Band gemäss Buch 1 Seite 70 abdecken. Schürzesenkel und Torchon ziehen und aufsetzen. Die Oberarme blasen und noch im warmen Zustand anfügen.

7 Cover up the joint between the body and the apron with a thin band (see book 1, page 70). Pull the apron strings and the tea towel and attach to the figure. Blow the upper arms and attach while still warm.

7 Recouvrir les passages corps-tablier avec une bande mince (voir livre 1, page 70). Tirer le ruban du tablier et le torchon et les appliquer. Souffler les avant-bras et, encore chauds, les appliquer.

7 Ricoprire l'attaccatura tra corpo e grembiule con un nastro sottile, come nel libro 1 pagina 70. Tirare i lacci del grembiule e lo strofinaccio ed applicarli. Soffiare la parte superiore delle braccia ed attaccarle ancora calde.

8 Den Kopf gemäss Buch 1 Seite 138 in der Silikon-Kautschuk-Gesichtsform blasen. Schminken, Haare analog Buch 1 Seite 140 und die Mütze gemäss Buch 1 Seite 141 aufsetzen. Die Übergangsstellen Kopf-Hut und Oberkörper-Hals mit einem Band abdecken.

8 Blow the head (see book 1, page 138) in the silicone rubber face mould. Paint in the features. Attach hair (see book 1, page 140) and the chef's hat (book 1, page 141). Cover the points of attachment between head and hat and between trunk and neck with a band.

8 Souffler la tête dans la forme du visage silicone-caoutchouc (voir livre 1, page 138). Maquiller, appliquer les cheveux (voir livre 1, page 140) et la toque (voir livre 1, page 141). Recouvrir les passages tête-toque et haut du corps-cou avec une bande.

8 Soffiare la testa nella forma per il viso di silicone-caucciù, come nel libro 1 pagina 138. Truccare, applicare i capelli (vedi libro 1, pagina 140) ed il berretto (vedi libro 1, pagina 141). Con un nastro ricoprire le attaccature sia tra testa e cappello che tra busto e collo.

9 Die Hände mit den Armen gemäss Buch 1 Seite 112 modellieren und anfügen. Übergangsstelle beim Ellbogen mit einem halbierten, leicht gerollten Band umwickeln.

9 Model the hands with forearms (see book 1, page 112) and attach. Place a halved, slightly rolled band around the elbow to hide the joint.

9 Modeler les mains avec les bras (voir livre 1, page 112) et les appliquer. Envelopper le passage près du coude avec une bande partagée en deux et légèrement roulée.

9 Modellare le mani con le braccia, come nel libro 1, pagina 112, ed applicarle. Avvolgere l'attaccatura al gomito con un nastro dimezzato e leggermente arrotolato

MR. FABILO SAGT:
Wenn immer möglich, das Gestell erst gegen das Ende der Arbeit aufsetzen, um die Bruchgefahr zu reduzieren.

MR. FABILO SAYS:
Whenever possible, do not mount the frame until the final stages to reduce the danger of breakage.

MR. FABILO DIT:
Dans la mesure du possible, ne poser le tréteau que vers la fin du travail, afin de réduire le danger de rupture.

MR. FABILO DICE:
Se possibile, applicate il cavalletto solo verso la fine della lavorazione per ridurre il pericolo di rottura

10 Die gegossenen Teile für das Gestell mit flüssiger Masse zusammensetzen.

10 Assemble the cast parts of the framework with liquid mass.

10 Assembler les parties coulées pour le tréteau avec de la masse liquide.

10 Unire le parti colate per il cavalletto con della massa liquida.

11 Für die goldene Trüffel eine geblasene Kugel anfeuchten, im Kristallzucker wenden und mit im Alkohol aufgelöster Goldbronze spritzen. Nach eigener Phantasie mit Bändern, Blättern und Blumen dekorieren.

11 For the golden truffle, moisten a blown ball, roll it in granulated sugar and spray with gold dust dissolved in alcohol. Decorate with bands, leaves and flowers according to your own imagination.

11 Pour la truffe d'or, humidifier une boule soufflée, la rouler dans du sucre cristallisé et la pulvériser avec du bronze d'or dissous dans de l'alcool. Décorer selon sa propre fantaisie avec des bandes, des feuilles et des fleurs.

11 Per formare il tartufo dorato inumidire una palla soffiata, girarla nello zucchero cristallino e verniciarla a spruzzo con del bronzo dorato diluito nell'alcool. Decorare secondo la propria fantasia con nastri, foglie e fiori.

12 Wie aber überlebt der Meister mit der goldenen Trüffel auf der Pralinetheke die hohe Feuchtigkeit? Mit ungelöschtem Kalk oder Silicagel blau feuchtigkeitsdicht verschlossen, bleiben die Zuckerfiguren mit ihrem phantastischen Glanz unbeschränkt erhalten.

12 How does the chef with the golden truffle survive the high level of humidity in the praline showcase? If your showcases are hermetically sealed with quicklime or silicagel blue, your sugar figures will retain their glistening effect indefinitely.

12 Mais comment le maître avec la truffe d'or survit-il à l'humidité élevée dans la pralinethèque? Avec de la chaux vive et du silicagel bleu, fermées hermétiquement à l'humidité, les figures en sucre avec leur éclat fantastique se conservent sans limite.

12 Come fa però il maestro con il tartufo dorato a sopravvivere l'umidità sul banco tra i cioccolatini? Con calce viva oppure silicagel blu e chiuse ermeticamente, le figure di zucchero mantengono per sempre il loro splendore fantastico.

KERZENLICHT

CANDLELIGHT

LUEUR DE BOUGIE

LUCE DI CANDELA

Als Blickfang im Schaufenster oder an der Rezeption, ein Schaustück, das Weihnachten ankündet, wird bestimmt von Ihrer Kundschaft geschätzt. Ein Schaustück muss und darf nicht immer für ein Produkt Ihres Betriebes werben. Die Kundschaft beachtet auch Glückwünsche oder nur ein Dankeschön und honoriert solche Botschaften mit Kundentreue.

Your customers are sure to appreciate a Christmas showpiece, whether as a window display or decorating the reception counter. A showpiece need not (indeed should not) always advertise one of your products. Customers also appreciate greetings or a simple thank-you and will repay you with their continued loyalty.

Comme pôle d'attraction dans la vitrine ou à la réception, une pièce annonçant Noël sera certainement appréciée par votre clientèle. Une pièce ne peut et ne doit pas toujours faire de la publicité pour un produit de votre maison. La clientèle apprécie aussi des souhaits ou seulement un merci et honore de tels messages de sa fidélité.

Come attrazione nella vetrina o al ricevimento, un oggetto di mostra che annuncia il Natale verrà sicuramente apprezzato dalla vostra clientela. Una creazione di zucchero non può e non deve sempre reclamizzare un prodotto della vostra impresa. La clientela nota anche auguri o solo un ringraziamento e compensa tali messaggi con la sua fedeltà.

1 Den Zuckerhut mit Klebband und Sternen abdecken.

1 Cover the sugar loaf with sticky tape and stars.

1 Recouvrir le pain de sucre avec de la bande adhésive et des étoiles.

1 Ricoprire il pan di zucchero con un nastro adesivo e con stelle.

2 Mit dem Airbrush spritzen.

2 Spray with the airbrush.

2 Pulvériser avec l'airbrush.

2 Verniciarlo a spruzzo con l'airbrush.

3 Auf eine abgekühlte Zucker- oder Perlenplatte den Zuckerhut setzen und nochmals mit Zucker oder Perlen übergiessen. Da der Zuckerhut über 6 kg wiegt, muss der Boden mindestens 1 cm dick sein.

3 Place the sugar loaf onto a cooled plaque made of sugar or pearls, and cover once more with sugar or pearls. Since the sugar loaf weighs over 6 kg the base must be at least 1 cm thick.

3 Poser le pain de sucre sur une plaque refroidie de sucre ou de perles et napper une nouvelle fois avec du sucre ou des perles. Comme le pain de sucre pèse plus de 6 kg, le fond doit avoir au moins 1 cm d'épaisseur.

3 Posare il pan di zucchero su una piastra raffreddata di zucchero o perle e ricoprirla ancora una volta con dello zucchero o delle perle. Visto che il pan di zucchero pesa più di 6 kg, il fondo deve avere uno spessore minimo di 1 cm.

4

5 Weihnachtskugeln gemäss Seite 110 auf Hochglanz polieren und um die Kerze arrangieren.

5 Polish the Christmas balls (see page 110) and arrange around the candle.

5 Faire briller les boules de Noël (voir page 110) et les arranger autour de la bougie.

5 Lucidare le palle di Natale come a pagina 110 e disporle attorno alla candela.

4 Zur Verstärkung der Kerze und als Ansatzstelle für die Weihnachtskugeln aus der restlichen Giessmasse ein Band umlegen.

4 To reinforce the candle and as a point of attachment for the Christmas balls, encircle the candle with a band made from the rest of the casting mass

4 Comme renforcement de la bougie et point de départ des boules de Noël, entourer le reste de la masse d'une bande.

4 Come rinforzamento della candela e attaccatura per le palle di Natale metterci un nastro formato con il resto della massa.

5

7

6

6 Band gemäss Buch 1 Seite 70 ziehen, einschneiden und je fünf Bänder zu einem Tannenzweig zusammensetzen.

6 Pull a band (see book 1, page 70), notch the edges and assemble five such pieces to form a fir branch.

6 Tirer la bande (voir livre 1, page 70), entailler et assembler cinq bandes en une branche de sapin.

6 Tirare un nastro, come nel libro 1 pagina 70, intagliarlo e unire sempre cinque nastri per formare un ramo d'abete.

7 Die Grundform des Tannenzapfens tropfenförmig blasen und mit kleinen Bändern schuppenartig einfassen.

7 Blow the basic form of the fir cone into teardrop-shape and cover with small bands, overlapping like scales.

7 Souffler la forme de base de la pomme de pin en forme de goutte et la border avec de petites bandes d'écaille.

7 Soffiare la forma di base di un cono d'abete a forma di goccia ed applicarci le scaglie a file.

8 Den Boden mit Eis (Wasser-zucker) abdecken. Tannenzweige und -zapfen aufsetzen.

8 Cover the base with ice (water sugar). Attach the fir branch with cones.

8 Recouvrir le fond avec de la glace (sucre eau). Appliquer les branches de sapin et les pommes de pin.

8 Ricoprire il fondo con del ghiaccio (zucchero acqua). Appli-care i rami ed i coni d'abete.

9 Die Glocken blasen und die Öffnung wie beim Sektkelch Seite 115 schmelzen. Sie werden mit Holzzucker verstärkt, die hintere Seite bereits mit Goldbronze bemalt und dann aufgesetzt.

9 Blow the bells and melt the rim of the opening as for the cham-pagne glass (see page 115). Rein-force the bells with wood sugar and paint their reverse face with gold dust before attaching them to the decoration.

9 Souffler les cloches et fondre l'ouverture comme pour la coupe de mousseux (voir page 115). Elles sont renforcées avec du sucre bois, la face arrière est peinte avec du bronze d'or et elles sont ensuite appliquées.

9 Soffiare le campanelle e fondere l'apertura come per il calice da spumante (vedi pagina 115) che vengono rafforzate con dello zucchero legno. Attacare le campa-nelle già dipinte di bronzo dorato sul lato posteriore.

MR. FABILO SAGT:
Blumen oder Blätter direkt auf die polierten Kugeln anzusetzen, wäre zu riskant. Die Wandung der Kugeln beträgt maximal 1 mm.

MR. FABILO SAYS:
Applying flowers or leaves directly onto the polished balls would be too risky. The walls of the balls are not more than 1 mm thick.

MR. FABILO DIT:
Appliquer directement des fleurs ou des feuilles sur les boules polies est trop risqué. La paroi des boules est de 1 mm au maximum.

MR. FABILO DICE:
È troppo rischioso applicare i fiori o le foglie direttamente sulle palle lucidate, perché le pareti delle pal-le hanno solo uno spessore di 1 mm.

10 Überall, wo anschliessend Christrosen und Stechpalmen angesetzt werden, mit Holzzucker verstärken.

10 Wherever Christmas roses and holly are to be attached, reinforce with wood sugar.

10 Partout où on applique ensuite des roses de Noël et du houx, renforcer avec du sucre bois.

10 Ovunque verranno applicate, in seguito, delle rose di Natale o dei lecci spinosi, rafforzare con dello zucchero legno.

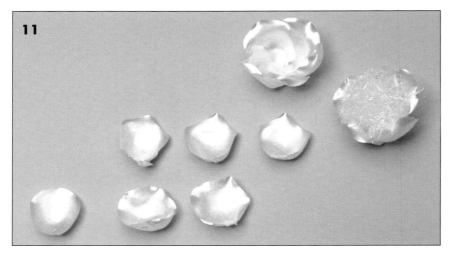

11 Für die Christrosen werden die Blütenblätter bei der Blattspitze je drei nach hinten und zwei nach vorne gebogen, zusammengesetzt, gelb gespritzt und das Zentrum mit gesponnenem Zucker gefüllt.

11 For the Christmas roses, curve the petals near the point, three petals backwards and two petals forwards. Assemble them, spray them yellow and fill the centre with spun sugar.

11 Pour les roses de Noël, on courbe les pétales près de la pointe de la feuille, trois vers l'arrière et deux vers l'avant, on les assemble, on les pulvérise en jaune et le centre est rempli de sucre filé.

11 Per le rose di Natale curvare i petali dalla punta, tre all'indietro e due in avanti, unirli, verniciarli a spruzzo con del color giallino e riempire il centro con dello zucchero filato.

12 Für die Stechpalmen werden grüne Blätter herausgezogen, je zweimal links und rechts eingeschnitten, gebogen und mit dem Airbrush gespritzt. Die Beeren werden noch mit einem schwarzen Punkt versetzt.

12 To create the holly, pull some green leaves, notch them twice on each side (right and left), curve the edges and spray with the airbrush. The berries can be decorated with a black dot.

12 Pour le houx, on retire les feuilles vertes, on les entaille deux fois à gauche et deux fois à droite, on les courbe et on pulvérise avec l'airbrush. Les baies sont décorées d'un point noir.

12 Per creare i lecci spinosi tirare foglie verdi, intagliarle sempre due volte a sinistra e due volte a destra, curvarle e verniciarle a spruzzo con l'airbrush. Decorare le bacche con un puntino nero.

13 Beeren, Stechpalmen und Christrosen gemäss Abbildung aufsetzen.

13 Attach berries, holly and Christmas roses as illustrated.

13 Appliquer baies, houx et roses de Noël comme sur l'illustration.

13 Applicare le bacche, i lecci spinosi e le rose di Natale come nell'immagine.

14 Streifenartiges Band gemäss Buch 1 Seite 66 ziehen und je zwei gewellte Bänder mit Schlaufen an den Glockenhenkel ansetzen.

14 Pull a striped band (see book 1, page 66) and attach two wavy bands with loops to the bell handles.

14 Tirer une bande à rayures (voir livre 1, page 66) et fixer deux bandes ondulées avec des boucles à l'anse des cloches.

14 Tirare un nastro a strisce, come nel libro 1, pagina 66, e fissare sempre due nastri ondulati a fiocco all'ansa delle campanelle.

14

15

15 Zum Schluss mit Staubzucker bestreuen.

15 Lastly, dredge with icing sugar.

15 Pour finir, saupoudrer avec du sucre en poudre.

15 Alla fine cospargere tutto di zucchero in polvere.

WEIHNACHTSKUGEL
CHRISTMAS BALL
BOULE DE NOËL
PALLA DI NATALE

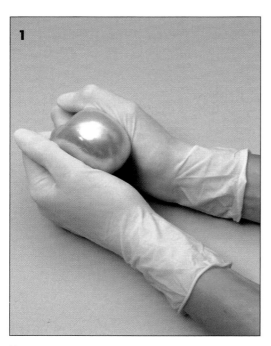

MR. FABILO SAGT:
Auf Hochglanz zu ziehen oder zu blasen bedeutet, dass die Zucker-masse sehr kalt sein muss und dass die Feuchtigkeit unter 40 % sein sollte. Handschuhe zu tragen ist dabei eine Pflicht.

MR. FABILO SAYS:
Pulling or blowing with high-gloss means the mass of sugar must be very cold and the humidity less than 40 %. It is essential to wear gloves.

MR. FABILO DIT:
Tirer ou souffler avec brillant signifie que la masse de sucre doit être très froide et l'humidité à moins de 40 %. Travailler avec des gants est obligatoire.

MR. FABILO DICE:
Per poter tirare o soffiare a lucido, la massa di zucchero dev'essere molto fredda e l'umidità meno del 40 %. Indossare i guanti è obbligatorio.

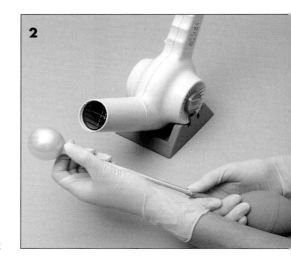

1 Um einen hervorragenden Glanz bereits beim Ansetzen der Kugel zu erhalten, muss der Zucker sehr kalt verarbeitet werden.

1 To obtain a perfect gloss from the outset, the ball of sugar must be formed while very cold.

1 Pour déjà obtenir un brillant extraordinaire au moment de l'application de la boule, il faut que le sucre soit travaillé à une température très basse.

1 Per ottenere una lucentezza già al momento dell'applicazione della palla, lo zucchero deve essere lavorato molto freddo.

2 Unmittelbar nach dem Ansetzen unter kalter Fönluft dehnen.

2 Inflate the ball of sugar immediately whilst applying cold air with the hairdryer.

2 Dilater immédiatement après l'application sous l'air froid du sèche-cheveux.

2 Dilatare subito dopo l'applicazione con l'aria fredda dell'asciugacapelli.

3 Solange blasen, bis man sich selbst in der Kugel spiegelt.

3 Keep blowing until you can see your own reflection in the ball.

3 Souffler aussi longtemps jus-qu'à voir votre propre reflet dans la boule.

3 Soffiare così a lungo, fino a che ci si vede il proprio riflesso nella palla.

4 Die Wandung ist hauchdünn und überall gleich fein.

4 The walls of the ball are very fine and are of uniform thickness.

4 La paroi est très mince et partout uniforme.

4 La parete è sottilissima e ovunque dello stesso spessore.

WOHL BEKOMM'S!

CHEERS!

SANTÉ!

BUON PRO TI FACCIA!

Feste sollte man feiern, wie sie fallen, dies zumindest möchte unsere Maus ausdrücken. In dieser Lektion setzen wir uns vorwiegend mit dem Zucker-blasen auseinander. Immer von einer gleichmässig gedehnten Kugel ausgehend, ist der Phan-tasie fast keine Grenze gesetzt. Wohl bekomm's! Auf die Frei-heit im Ausdruckswettstreit!

«Let's eat, drink and be merry…!» is what our mouse is trying to express here. This lesson deals mainly with sugar blowing. Starting each time with an evenly inflated ball, your creativity will know no bounds. «Cheers! Here's to freedom of competition in the art of expression!»

Commémorer les fêtes comme elles tombent, notre souris veut au moins exprimer cela. Dans cette leçon, nous nous occuperons tout spécialement du soufflage du sucre. Toujours à partir d'une boule régulière-ment dilatée, la fantaisie ne connaît presque pas de limite. Santé! A la liberté dans la course à l'expression!

Bisogna far la festa quando è il santo, questo almeno vorrebbe esprimere il nostro topo. Nella seguente lezione ci occuperemo specialmente della soffiatura dello zucchero. Partendo sempre da una palla dilatata regolarmente, non esistono quasi limiti alla fantasia. Buon pro ti faccia! Alla libertà nel concorso dell'espressione!

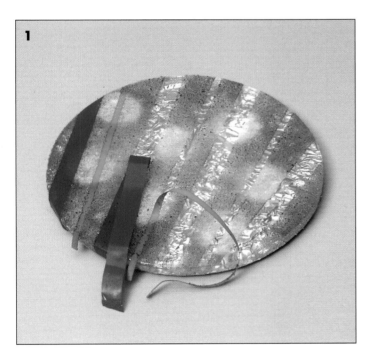

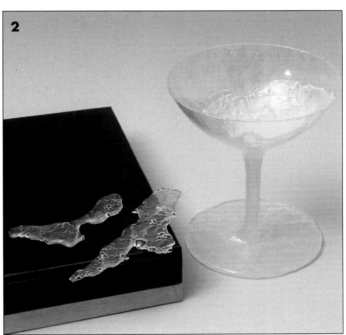

1 Den Boden auf zerknitterter Aluminiumfolie mit Zucker oder mit Perlen klar ausgiessen. Nach dem Abkühlen mit Klebeband gemäss Buch 1 Seite 53 abdecken, befeuchten, im Kristallzucker wenden und mit dem Airbrush spritzen.

1 Clearly cast the base onto a sheet of scrunched aluminium foil using sugar or pearls. After cooling down, cover with sticky tape (see book 1, page 53), moisten, turn in granulated sugar and spray with the airbrush.

1 Couler clairement le fond avec du sucre ou des perles sur une feuille d'aluminium froissée. Re-couvrir après refroidissement avec de la bande adhésive (voir livre 1, page 53), humidifier, rouler dans du sucre cristallisé et pulvériser avec l'airbrush.

1 Con zucchero o perle colare chiaramente il fondo su un fogli di alluminio sgualcito. Dopo il raffreddamento ricoprirlo con dei nastri adesivi, come nel libro 1, pagina 53, umidificarlo, rivoltarlo nello zucchero cristallino e colo-rarlo con l'airbrush.

2 Den Sektkelch gemäss Seite 115 blasen. Zur Imitation des Sektes wird gelber Wasserzucker auf dem Seidenbett erwärmt und damit der Innenteil des Glases ausgekleidet.

2 Blow the champagne glass (see page 115). To imitate the cham-pagne, warm some yellow water sugar on the silk board and fill the inside of the glass with this.

2 Souffler la coupe de mousseux (voir page 115). Pour imiter le moussseux, réchauffer du sucre eau jaune sur le dessus en soie et répartir sur la partie intérieure du verre.

2 Soffiare un calice da spumante come a pagina 115. Per imitare lo spumante riscaldare sulla base di seta dello zucchero acqua giallo e rivestirne l'interno del bicchiere.

3 Für die Maus gehen wir bei den Füssen wie bei der Schildkröte vor, und der Körper wird wie der des Löwen geblasen. Den Kopf gemäss Buch 1 Seite 153 blasen, bemalen und aufsetzen. Zum Schluss die Ohren, die Haare und den Schwanz aufsetzen.

3 For the mouse, create the feet in the same manner as for the tortoise and the body in the same manner as for the lion. Blow the head (see book 1, page 153). Paint in the features and attach. Now add the ears, hair and tail.

3 Pour la souris, nous procédons pour les pattes comme pour la tortue, et le corps est soufflé comme celui du lion. Souffler la tête (voir livre 1, page 153), peindre et appliquer. Pour finir, appliquer les oreilles, les poils et la queue.

3 Per creare il topo formiamo i piedi come quelli della tartaruga, e soffiamo il corpo come quello del leone. Soffiare la testa, come nel libro 1, pagina 153, dipingerla ed applicarla. Alla fine vengono applicati i capelli, le orecchie e la coda.

4 Sektkelch und Boden mit Klarsichtfolie abdecken und die ganze Maus mit dem Airbrush braun spritzen.

4 Cover the glass and the base with cellophane, then airbrush the mouse brown all over.

4 Recouvrir la coupe de mousseux et le fond avec une feuille de cellophane et pulvériser toute la souris en brun avec l'airbrush.

4 Ricoprire il calice da spumante con una foglia trasparente e con l'airbrush colorare di marrone tutto il topo.

5 Zur Verstärkung des Quirls und besonders für die Papierschlangen wird ein Metallröhrchen mit Zucker überzogen und als Hauptstütze verwendet. Den Strohhalm gemäss Seite 117 blasen, mit dem Fön erwärmen und in die gewünschte Position biegen.

5 To reinforce the cocktail stick and support the streamers, cover a small metal rod with sugar and use this as the main support. Blow the straw (see page 117), warm up with the hairdryer and bend into the desired position.

5 Pour le renforcement du batteur et spécialement pour les serpents en papier, recouvrir un tuyau en métal avec du sucre et l'employer comme tuteur principal. Souffler le fétu de paille (voir page 117), réchauffer avec le sèche-cheveux et le plier dans la position voulue.

5 Per rinforzare il frullino e soprattutto per le stelle filanti rivestire di zucchero un tubetto di metallo, ed usarlo come appoggio principale. Soffiare la cannuccia come a pagina 117, riscaldarla con l'asciugacapelli e curvarla all'altezza desiderata.

SEKTKELCH
CHAMPAGNE GLASS
COUPE DE MOUSSEUX
CALICE DA SPUMANTE

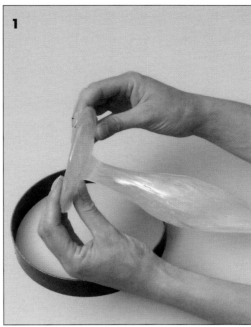

6 Papierschlangen gemäss Buch 1 Seite 66 ziehen, um eine Holzkelle rollen und dekorativ verteilen.

6 Pull the streamers (see book 1, page 66), roll them around a wooden spoon and use as decoration.

6 Tirer les serpents en papier (voir livre 1, page 66), les enrouler autour d'une spatule en bois et répartir décorativement.

6 Tirare delle stelle filanti, come nel libro 1 pagina 66, arrotolarle attorno ad un cucchiaio di legno e distribuirle come decorazione.

1 Ungezogene Zuckerkugel ansetzen, leicht dehnen und aus der unteren Hälfte der Kugel den Boden mit dem Stiel modellieren. Um den Boden möglichst gleichmässig rund zu formen, hilft am besten ein Ausstecher.

1 Attach a non-pulled ball of sugar, inflate slightly and model the stem of the glass from the lower half of the ball. It is best to use a cutter to obtain a properly rounded base for the glass.

1 Appliquer une boule de sucre non tirée, dilater légèrement et, de la partie inférieure de la boule, modeler le fond avec la tige. Pour former le fond à peu près rondement, le mieux est de se servir d'un découpoir.

1 Attaccare una palla di zucchero non tirata, dilatarla leggermente e modellare dalla metà inferiore della palla il fondo con il gambo. Per dare al fondo la sua regolare rotondità, la cosa migliore è servirsi di uno stampino.

2 Boden und Stiel müssen abgekühlt sein, bevor mit dem Blasen begonnen werden kann.

2 The base and the stem must have cooled down before you start blowing.

2 Fond et tige doivent être refroidis avant de pouvoir commencer avec le soufflage.

2 Il fondo ed il gambo devono essere freddi, prima di poter cominciare a soffiare.

3 Die Wandung sollte gleichmässig sein und nicht mehr als 2 mm Dicke aufweisen.

3 The walls should be of uniform thickness - not more than 2 mm.

3 La paroi doit être uniforme et ne pas dépasser 2 mm d'épaisseur.

3 La parete dovrebbe essere regolare e non superare uno spessore di 2 mm.

4 Den oberen Teil des Glases mit dem Mikro-Torch entfernen.

4 Remove the upper part of the glass with the micro torch.

4 Détacher la partie supérieure du verre avec la microtorche.

4 Staccare la parte superiore del bicchiere con il Mikro-Torch.

5 Ob Cocktailglas oder Bordeauxkelch, sämtliche Gläser werden auf diese Weise geblasen. Ein Sektkelch wird nochmals gekürzt.

5 Whether you want to create a cocktail glass or a Bordeaux glass, all glasses are blown using this method. A champagne glass needs to be shortened once more.

5 Que ce soit un verre de cocktail ou un verre de bordeaux, tous les verres sont soufflés de cette manière. Une coupe de mousseux doit être encore une fois raccourcie.

5 Che sia un bicchiere da cocktail od un bicchiere da bordeaux, tutti i bicchieri vengono soffiati in questo modo, un calice da spumante viene raccorciato di più.

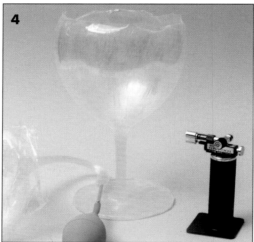

6 In einer heissen Pfanne den Kelch schmelzen, bis ein exakter Rand entsteht.

6 Melt the rim of the glass in a hot saucepan until it becomes smooth and evenly shaped.

6 Fondre la coupe de mousseux dans une poêle chaude jusqu'à obtention d'un bord exact.

6 In una pentola calda fondere il calice fino a ottenere un bordo esatto.

MR. FABILO SAGT:
Um ein Glas zu kürzen, wird der Stiel am Bodenansatz festgehalten, die Tulpe nach unten gedreht und solange mit dem Mikro-Torch erwärmt, bis der Zucker mit der Schere ohne Widerstand durchgeschnitten werden kann.

MR. FABILO SAYS:
To shorten a glass, hold the stem firmly to the base, turn the glass downwards and heat with the micro torch until the sugar can be cut with the scissors without resistance.

MR. FABILO DIT:
Pour raccourcir un verre, il faut maintenir la tige au fond, la forme tulipe tournée vers le bas et réchauffer aussi longtemps avec la microtorche jusqu'à ce que le sucre puisse être coupé avec les ciseaux sans résistance.

MR. FABILO DICE:
Per raccorciare un bicchiere, mantenete il gambo in fondo con il calice rivolto verso il basso e riscaldate con il Mikro-Torch così a lungo che lo zucchero può essere ritagliato facilmente con le forbici.

STROHHALM
STRAW
FÉTU DE PAILLE
CANNUCCIA

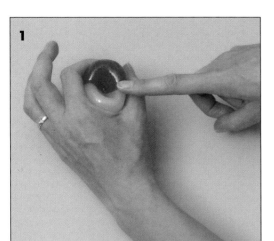

1 Kugel zweifarbig ansetzen.

1 Prepare a two-coloured ball.

1 Préparer la boule bicolore.

1 Attaccare una palla bicolore.

2 Dehnen und in die Länge ziehen.

2 Inflate and pull lengthways.

2 Dilater et tirer en longueur.

2 Dilatarla e tirarla in lungo.

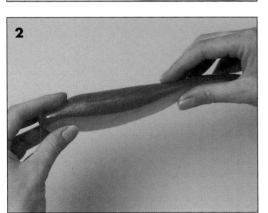

MR. FABILO SAGT:
Beim zweifarbigen Blasen dehnen sich die dunklen Partien schneller aus als die hellen. Deshalb muss der dunkle Zucker etwas häufiger berührt werden.

MR. FABILO SAYS:
When blowing with two colours, the dark parts will inflate faster than the light ones. This means the dark part must be touched more often.

MR. FABILO DIT:
Lors du soufflage bicolore, les parties sombres se dilatent plus vite que les parties claires. Pour cela, le sucre sombre doit être touché plus souvent.

MR. FABILO DICE:
Nel soffiare dello zucchero bicolore, le parti scure si dilatano più velocemente di quelle chiare. Per questa ragione, lo zucchero scuro dev'essere toccato più spesso.

4 Für einen exakten Abschluss wird das Röhrchen in einer heissen Pfanne geschmolzen.

4 For an exactly-formed end, melt the end of the straw in a hot saucepan.

4 Pour avoir une fin exacte, fondre le tuyau dans une poêle chaude.

4 Per ottenere una fine esatta, fondere il tubetto in una pentola calda.

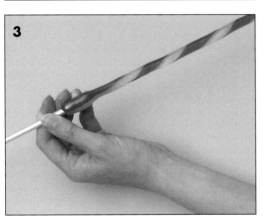

3 Vorsichtig drehen.

3 Turn carefully.

3 Tourner prudemment.

3 Girare con cautela.

MOTORRAD | MOTORCYCLE | MOTOCYCLETTE | MOTOCICLETTA

Ob BMW, Suzuki oder Harley-Davidson, eines haben in der Zuckerartistik alle Motorräder gemeinsam: ihre Konstruktion und die eingesetzten Techniken. Das Schwergewicht dieser Lektion bildet das Modellieren des Zuckers. Sehr oft sind die Teile so klein, dass sie aus wirtschaftlichen Überlegungen nur noch modelliert werden können. Je nach Ausführung dürfen bis zu sechs Stunden für eine Sonderanfertigung nach Foto oder Modell investiert werden.

All motorcycles - whether BMW, Suzuki or Harley-Davidson - have one thing in common, namely their design and technology. In this lesson the emphasis is on sugar-modelling. Frequently the parts are so small that for economic reasons the only way to form them is by modelling. One should allow up to six hours to complete a special order according to photo or model, depending on the type of motorcycle.

Que ce soit BMW, Suzuki ou Harley-Davidson, une chose est commune à toutes les motocyclettes: leur construction et les techniques employées. Le point fort de cette leçon est formé par le modelage du sucre. Très souvent les pièces sont si petites que, pour des raisons économiques, elles ne peuvent qu'être modelées. Suivant la réalisation, on peut investir jusqu'à six heures pour une création spéciale d'après photo ou modèle.

Che si tratti di BMW, Suzuki o Harley-Davidson, tutte le motociclette hanno una cosa in comune: la loro costruzione e le tecniche applicate. In questa lezione diamo un'importanza maggiore alla modellatura dello zucchero. Molto spesso le parti sono così piccole che per motivi economici possono solo essere modellate. A seconda del tipo bisogna investire fino a sei ore per realizzare un oggetto da una foto o da un modello.

1 Den Boden und die Bodenerhöhung mit geschlämmtem Zucker oder Perlen, marmoriert mit schwarzer Farbe und Silberbronze, giessen. Die Stütze für das Motorrad klar giessen.

1 Cast the base with its raised parts using opaque sugar or pearls, marbled with black colouring and silver dust. Cast a clear support for the motorcycle.

1 Couler le fond et l'élévation du fond avec du sucre opaque ou des perles, marbrer avec de la couleur noire et du bronze d'argent. Fondre en clair le soutien pour la motocyclette.

1 Colare il fondo ed il rialzo con dello zucchero opaco o perle, marmorato con del color nero e del bronzo argentato. Colare chiaramente l'appoggio della motocicletta.

2 Die Segmente mit flüssiger Zucker- oder Perlenmasse aufeinandersetzen. Die Ansatzstelle der Motorradstütze mit dem Mikro-Torch erhitzen und aufsetzen.

2 Attach the segments on top of each other with liquid sugar or pearls. Heat the point of attachment for the motorcycle support with the micro torch and then attach the support.

2 Attacher les segments les uns aux autres avec du sucre fluide ou une masse de perles. Réchauffer le point d'attache du soutien de la motocyclette avec la microtorche et l'appliquer.

2 Unire i segmenti con della massa liquida di zucchero o perle. Con il Mikro-Torch riscaldare l'attaccatura dell'appoggio per la moto e applicarlo.

3 Zuerst wird der Doppelschleifen-rahmen im Massstab 1:1 zur Skizze hergestellt, mit Draht gemäss Buch 1 Seite 96 verstärkt und aufgesetzt.

3 First make the lightweight cradle frame according to the diagram (scale 1:1), strengthen with wire (see book 1, page 96) and put in place.

3 Confectionner d'abord la double armature du cadre à l'échelle 1:1 d'après l'esquisse, la renforcer avec du fil de fer (voir livre 1, page 96) et l'appliquer.

3 Realizzare prima il telaio a doppio trave secondo l'abbozzo in scala da 1 a 1, poi rinforzarlo con un filo di ferro, come nel libro 1, pagina 96, ed attaccarlo.

4 Die Hauptteile des Motors werden geblasen. Die Kühlrippen werden modelliert und mit einem gerillten Band eingefasst.

4 Blow the main parts of the motor. Model the cooling ribs and stamp them with a ribbed band.

4 Souffler les parties principales du moteur. Modeler les ailettes de refroidissement et les entourer avec une bande rainurée.

4 Soffiare le parti principali del motore. Modellare le alette di raffreddamento e ricoprirli con un nastro scanalato.

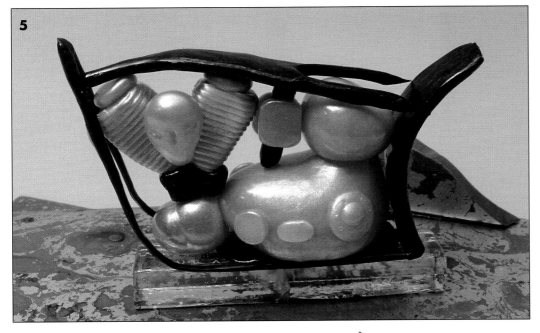

5 Von unten nach oben und von der Mitte nach aussen arbeiten, um «Unfälle» zu vermeiden.

5 Work from below towards the top and from the centre outwards to avoid «mishaps».

5 Travailler du bas vers le haut et du centre vers l'extérieur afin d'éviter les «accidents».

5 Lavorare da sotto verso l'alto e dal centro verso l'esterno per evitare «infortuni».

7 Als Schutzblech eine gleich-mässig dehnende Kugel in die Länge ziehen, direkt aufsetzen und abschneiden.

7 For the mudguard, pull an evenly inflated ball lengthways, mount directly and cut off the end.

7 Comme garde-boue, tirer en longueur une boule régulièrement dilatée, l'appliquer directement et la couper.

7 Come lamiera di protezione tirare in lungo una palla dilatata regolarmente, applicarla diretta-mente e tagliare via la fine.

6 Das Hinterrad gemäss Seite 125 herstellen und so aufsetzen, dass die Verbindungsstelle des Pneus mit der Hinterradstrebe abgedeckt wird. Als Kettenblech ein Band um eine Metallröhre biegen.

6 Form the rear wheel (see page 125) and insert so that the connect-ing point of the tyres is hidden by the rear wheel frame. For the chain guard wrap a band of sugar around a metal tube.

6 Confectionner la roue arrière (voir page 125) et l'appliquer de façon à ce que le point de connexion du pneu avec l'étrésillon de la roue arrière soit recouvert. Comme tôle de protection, plier une bande autour d'un tube de métal.

6 Creare la ruota posteriore come a pagina 125 ed applicarla in modo che l'attaccatura del pneu-matico viene coperta dal montante della ruota posteriore. Come copri-catena curvare un nastro attorno ad un tubo di metallo.

8 Die Sitzbank wird in zwei Etappen geblasen und aufgesetzt. Übergangsstelle mit Bändern abdecken. Die Ansatzstelle der Kanüle des Kraftstofftanks befindet sich bei den Kühlrippen versteckt.

8 The seat should be blown in two stages and then mounted. Use bands to cover up the point of attachment. On the fuel tank the point of attachment of the tube is hidden by the cooling ribs.

8 Souffler la selle en deux étapes et l'appliquer. Recouvrir le point d'attache avec des bandes. Près du réservoir d'essence se trouve l'embouchure de la canule, cachée près des ailettes de refroidissement.

8 Soffiare la sella in due tappe ed attaccarla. Ricoprire l'attaccatura con dei nastri. Soffiare il serbatoio e nascondere l'attaccatura della cannula con le alette di raffred-damento.

11 Die Auspuffanlage aus einer Kugel modellieren. Fussrasten und Details am Motor ansetzen.

11 Model the exhaust pipe from a ball. Mount the foot rests and details of the motor.

11 Modeler les pots d'échappement d'une boule. Appliquer repose-pied et détails du moteur.

11 Modellare il tubo di scappamento da una palla. Applicare al motore le pedane ed altri dettagli.

9 Sobald das Vorderrad aufgesetzt ist wird die Teleskopgabel gemäss Seite 127 modelliert und angesetzt. Das Schutzblech wird wie das Kettenblech in Schritt Nr. 6 geformt und angefügt.

9 As soon as the front wheel has been mounted you can model and mount the telescopic fork (see page 127). The mudguard is formed and mounted similarly to the chain guard in step 6.

9 Dès que la roue avant est appliquée, modeler la fourche télescopique (voir page 127) et la fixer. Le garde-boue est formé et fixé comme la tôle de protection lors de l'opération 6.

9 Dopo aver attaccato la ruota anteriore modellare la forcella telescopica come a pagina 127 ed attaccarla. Formare la lamiera di protezione come la lamiera che copre la catena (passo n° 6) ed attaccarla.

10 Die Lenkstange mit ihren Armaturen gemäss Abbildung ansetzen. Die Griffe mit einem gerillten Band einfassen. Scheinwerfer blasen und eine kleine, in ein Sieb gedrückte durchsichtige Kugel als Glasscheibe anfügen.

10 Mount the handlebars with fittings as illustrated. Cover the handles with a ribbed band. Blow the headlight and insert a small transparent ball pressed onto a sieve to form the glass cover for the lamp.

10 Appliquer le guidon avec ses armatures comme sur l'illustration. Entourer les poignées avec une bande rainurée. Souffler le phare et ajouter une petite boule transparente pressée dans une passoire comme vitre de la lampe.

10 Attaccare il manubrio con i vari cruscotti. Coprire i manici con un nastro scanalato. Soffiare i fari aggiungendoci come vetro una piccola palla trasparente pressata in un colino.

12 Rück- und Bremslicht, Kennzeichenschild und weitere gewünschte Details anfügen.

12 Insert the rear light, brake light, licence plate and other details as required.

12 Appliquer feu arrière et d'arrêt, plaque d'immatriculation et autres détails souhaités.

12 Attaccare la luce posteriore, la luce d'arresto, la targa d'immatricolazione ed altri dettagli desiderati.

13 Zum Schluss die verschiedenen Kabel rund ziehen, abkühlen, anpassen und befestigen.

13 Finally pull the various cables from a rounded cord, cool down, adjust and attach.

13 Pour finir, tirer les différents câbles de manière circulaire, refroidir, ajuster et fixer.

13 Alla fine tirare in maniera rotonda i diversi cavi, raffreddarli, adattarli e fissarli.

MR. FABILO SAGT:
Dieses Motorrad weist gewisse Abweichungen vom Original auf, um den Aufbau verständlicher erklären zu können.

MR. FABILO SAYS:
This motorcycle differs in some aspects from the original, to simplify our explanation of the creation of this piece.

MR. FABILO DIT:
Cette motocyclette diffère par certains détails de l'originale, afin de pouvoir mieux en expliquer la construction.

MR. FABILO DICE:
Questa motocicletta non corrisponde 100% all'originale per poter spiegare meglio la costruzione.

RAD MIT REIFEN
WHEEL WITH TYRE
ROUE AVEC PNEUMATIQUE
RUOTA CON PNEUMATICO

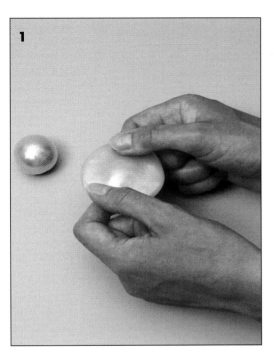

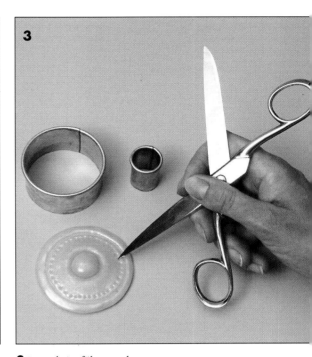

1 Aus einer Kugel das Radzentrum modellieren.

1 Model the hub of the wheel from a ball.

1 Modeler d'une boule le centre de la roue.

1 Da una palla modellare il centro della ruota.

2 Mit einem Ausstecher die Rundung ausgleichen.

2 Round off the perimeter with a cutter.

2 Egaliser avec un découpoir la rotondité.

2 Con uno stampino pareggiare la rotondità.

3 Je nach Ausführung, das Zentrum im warmen Zustand einkerben.

3 Notch the hub while still warm according to the design of the model.

3 Selon l'exécution, entailler le centre encore chaud.

3 A seconda del modello intagliare il centro ancora caldo.

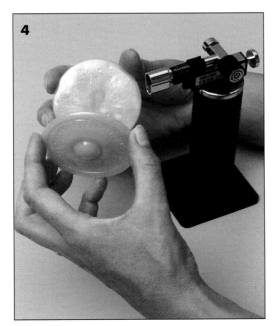

4 Linke und rechte Radteile mit dem Mikro-Torch zusammensetzen.

4 Join the left and right parts of the wheel together using the micro torch.

4 Assembler la partie gauche et droite de la roue avec la micro-torche.

4 Unire la parte sinistra e quella destra della ruota con il Mikro-Torch.

MR. FABILO SAGT:
Für ein Speichenrad wird das Rad in einem Ausstecher klar gegossen. Speichen erst malen, wenn der Reifen angesetzt ist.

MR. FABILO SAYS:
For a spoked wheel, cast a clear wheel in a cutter. The spokes should be painted in after the tyre has been mounted.

MR. FABILO DIT:
Couler en clair la roue dans un découpoir pour une roue à rayons. Peindre seulement les rayons quand le pneumatique est fixé.

MR. FABILO DICE:
Per creare una ruota a raggi, colare chiaramente la ruota in uno stampino e dipingere i raggi solo sul pneumatico già attaccato.

5 Für den Reifen eine grosse Stange Zucker gleichmässig rollen.

5 To form the tyres, evenly roll out a large bar of sugar.

5 Rouler régulièrement une grande barre de sucre pour le pneumatique.

5 Per il pneumatico rotolare in maniera regolare una grande bacchetta di zucchero.

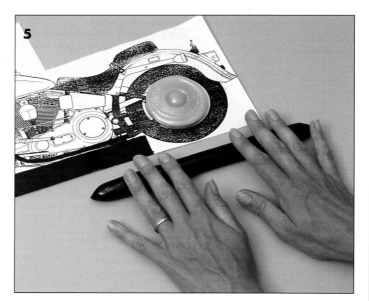

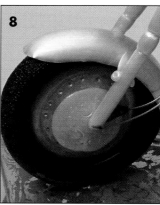

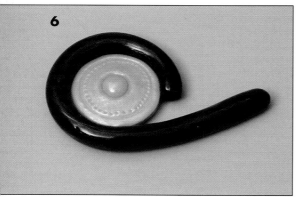

6 Radzentrum an der Felge erwärmen und mit der Zuckerstange einrollen.

6 Heat the hub at the rim and roll the bar of sugar around it.

6 Réchauffer à la jante le centre de la roue et l'enrouler avec la barre de sucre.

6 Riscaldare il cerchione della ruota ed avvolgerci la bacchetta di zucchero.

7 Übergangsstelle durch vorsichtiges Erwärmen verschmelzen.

7 Melt the joint by careful warming.

7 Fondre le point d'attache par un réchauffement prudent.

7 Fondere l'attaccatura riscaldandola con cautela.

8 Den abgekühlten Reifen nochmals erwärmen und mit dem Siebmuster das Reifenprofil imitieren.

8 Heat the cooled tyre once more and stamp the tread of the tyres using the sieve.

8 Réchauffer encore une fois le pneumatique refroidi et imiter le profil du pneumatique avec la passoire.

8 Riscaldare ancora una volta il pneumatico ed imitare il battistrada con il colino.

TELESKOPGABEL
TELESCOPIC FORK
FOURCHE
TÉLESCOPIQUE
FORCELLA TELESCOPICA

1 Eine Kugel in die Länge modellieren.

1 Model a ball of sugar into a long shape.

1 Modeler une boule en longueur.

1 Modellare una palla in lungo.

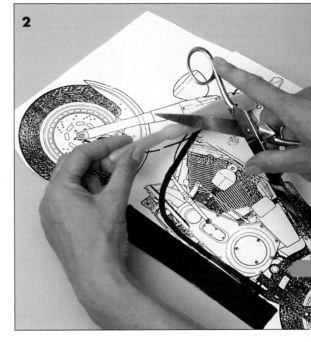

2 Die gewünschten Kerbungen anbringen.

2 Notch as required.

2 Faire les entailles désirées.

2 Fare gli intagli desiderati.

MR. FABILO SAGT:
Ob Teleskopgabel, Handbremshebel oder Wasserkühler, die Proportionen müssen stets mit der Skizze übereinstimmen.

MR. FABILO SAYS:
Whether you are modelling a telescopic fork, a hand brake lever or a water cooler, the proportions must always be the same as on the diagram.

MR. FABILO DIT:
Que ce soit la fourche télescopique, le levier du frein à main ou le radiateur, les proportions doivent toujours correspondre à l'esquisse.

MR. FABILO DICE:
Che si tratti di forcella telescopica, comando del freno a mano o radiatore ad acqua, le proporzioni devono sempre corrispondere all'abozzo.

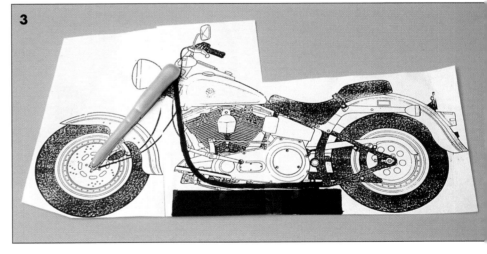

3 Die Teleskopgabel muss mit dem Massstab der Skizze 1:1 übereinstimmen.

3 The telescopic fork must conform 1:1 with the measurements of the diagram.

3 La fourche télescopique doit correspondre à l'échelle 1:1 avec l'esquisse.

3 La forcella telescopica deve corrispondere all'abbozzo in scala da 1 a 1.

ADVENT

Die Adventszeit ist nicht nur eine besinnliche Zeit, sondern auch eine sehr hektische und stark umsatzorientierte Periode. Ein Schaustück an der Rezeption, im Schaufenster oder auf dem Buffet wird zusätzlich zur Dekoration erwartet. Doch die Zeit ist knapper denn je. Deshalb benötigt man ein Schaustück, das einerseits wenig Zeit beansprucht und anderseits eine grosse Begeisterung beim Publikum auslöst. Ein Ziel also, das bei Ihnen auf Zustimmung stossen könnte. Maximal vier Stunden Aufwand darf das folgende Schaustück verursachen.

ADVENT

Advent is not only a time for reflection: it is also a very hectic, sales-oriented period. People expect to see a showpiece at the reception, in the shop window or on the buffet in addition to the traditional seasonal decorations, but you have less time to spare than usual. As you will surely agree, a showpiece is called for that can be created in a short space of time and yet earn the admiration of the public. The following showpiece should not take more than four hours to create.

AVENT

L'avent n'est pas seulement une période de méditation, mais aussi le temps où l'activité fébrile influence fortement le chiffre d'affaires. Une pièce à la réception, dans la vitrine ou sur le buffet est attendue comme décoration complémentaire. Seulement le manque de temps est plus que jamais présent. De ce fait, on a besoin d'une pièce qui, d'une part, prend peu de temps et, d'autre part, attire néanmoins le public. Un but qui devrait avoir votre approbation. La pièce suivante doit prendre au maximum quatre heures.

AVVENTO

L'avvento è un periodo meditativo, ma anche pieno di nervosismo ed è un periodo orientato sulle vendite. Ci si aspetta al ricevimento, nella vetrina o sul buffet, un oggetto da mostra supplementare alla decorazione, quindi il tempo a nostra disposizione è relativamente breve, per questo abbiamo bisogno di un oggetto da mostra che da un lato richieda poco tempo e dall'altro riesca ad entusiasmare il pubblico. Ciò troverà sicuramente tutti d'accordo. Il seguente oggetto da mostra vi costerà al massimo quattro ore di lavoro.

1 Einen Boden für das Hauptschaustück, einen für das Rehwild sowie zwei Platten für den Hintergrund mit geschlämmtem Zucker oder mit Perlen giessen.

1 Cast a base for the main part of the showpiece, another for the deer and two background plaques using opaque sugar or pearls.

1 Couler un fond en sucre opaque ou en perles pour la pièce principale, un fond pour les chevreuils, ainsi que deux plaques pour l'arrière-plan.

1 Colare con dello zucchero opaco e con perle un fondo per l'oggetto da mostra principale, uno per i caprioli e creare altre due lastre per lo sfondo.

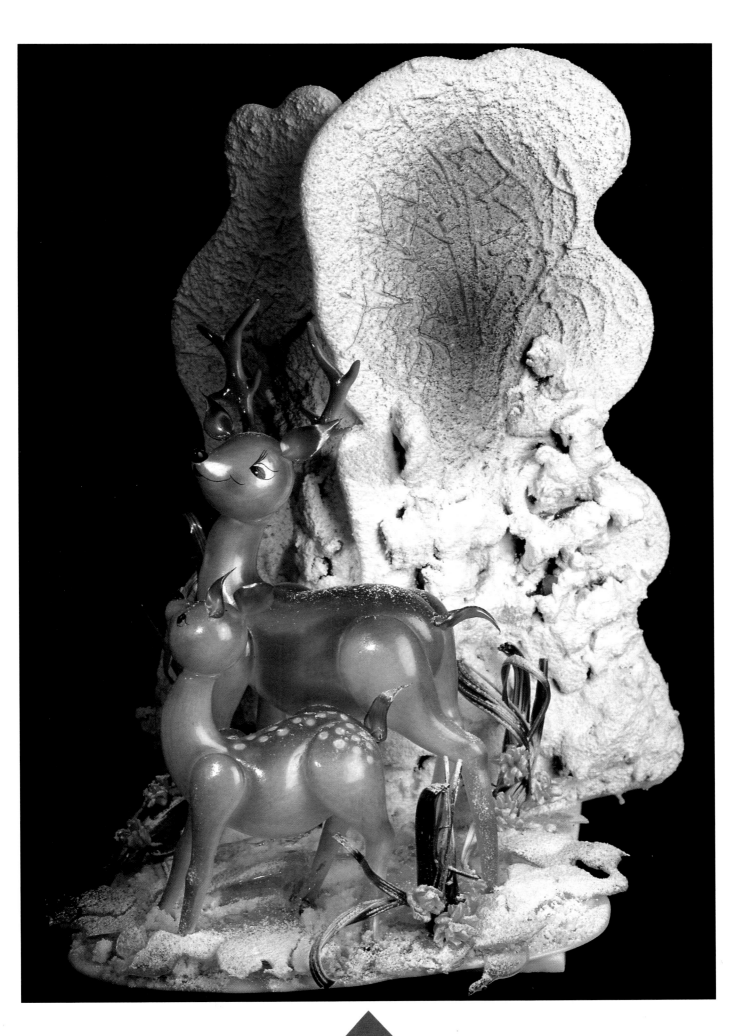

2

2 Baumprofile mit Spritzglasur, Tülle Nr. 1, aufdressieren.

2 Apply the tree profile with royal icing, using nozzle No. 1.

2 Appliquer le profil de l'arbre avec de la Glace Royale, douille N° 1.

2 Applicare il profilo degli alberi con glassatura a spruzzo, becco n° 1.

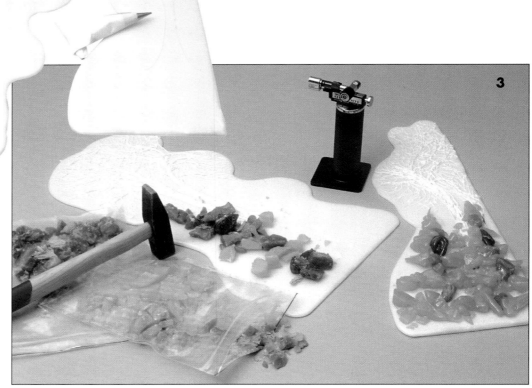

3

3 Als Tannenimitation wird grüner und brauner Restzucker in einem Plastikbeutel mit dem Hammer zerkleinert und gemäss Abbildung auf die Hintergrund-Platten verteilt. Mit dem Mikro-Torch die einzelnen Teile so stark erhitzen, bis sie sich mit dem Hintergrund verbinden.

3 To imitate the fir trees, put some green and brown sugar leftovers into a plastic bag and break them up with the hammer. Place on the background as illustrated. Heat up the individual parts with the micro torch until they become attached to the background.

3 Comme imitation de sapin, utiliser des restes de sucre vert et brun qui seront réduits avec un marteau dans un sac en plastique et répandus comme sur l'illustration sur les plaques de l'arrière-plan. Réchauffer aussi longtemps les différentes pièces avec la microtorche jusqu'à ce qu'elles se fondent avec l'arrière-plan.

3 Come imitazione di abeti, frantumare in una busta di plastica con il martello resti di zucchero verde e marrone e spargere i pezzi sulle lastre da sfondo come nell'immagine. Con il Mikro-Torch riscaldare i singoli pezzi ad una temperatura così alta che si uniscano con lo sfondo.

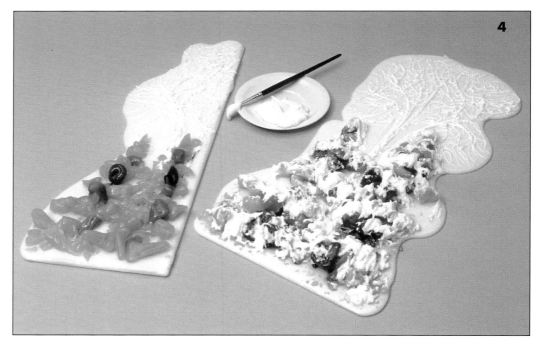

4

4 Die Tannen mit der Spritzglasur dick bepinseln.

4 Paint over the fir tree with thick royal icing.

4 Recouvrir les sapins d'une épaisse couche de Glace Royale.

4 Pennellare gli abeti con la glassatura a spruzzo dando allo strato un largo spessore.

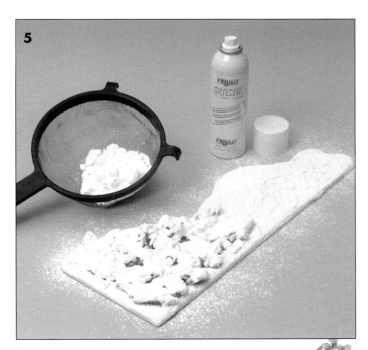

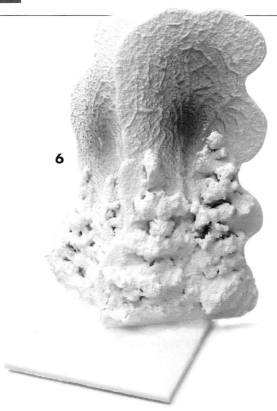

5 Mit Staubzucker bestäuben und sogleich mit Artistiklack fixieren.

5 Dredge with icing sugar and fix immediately with Artistik lacquer.

5 Saupoudrer avec du sucre en poudre et fixer immédiatement avec de la laque Artistik.

5 Spolverare di zucchero a velo e fissare subito con lacca Artistik.

MR. FABILO SAGT:
Damit sich der Staubzucker in der senkrechten Position nicht löst, werden die Platten zuvor leicht mit Artistiklack fixiert. Zuviel Artistiklack jedoch hinterlässt einen gelblichen Farbton!

MR. FABILO SAYS:
To prevent the icing sugar from falling off in the vertical position, apply a little Artistik lacquer to the plaques beforehand. However, too much Artistik lacquer will make the showpiece look yellow!

MR. FABILO DIT:
Afin que le sucre en poudre ne se détache pas dans la position verticale, appliquer légèrement sur les plaques de la laque Artistik. Trop de laque Artistik laisse toutefois une tonalité jaunâtre.

MR. FABILO DICE:
Per evitare che lo zucchero a velo applicato nella posizione verticale si stacchi, fissare le lastre prima leggermente con della lacca Artistik. Troppa lacca lascia però una tonalità giallastra.

6 Beim Positionieren der Hintergrund-Platten ist darauf zu achten, dass sie sich gegenseitig stützen. Im Zentrum mit dem Airbrush blau und schwarz spritzen.

6 When positioning the background plaques make sure that they support each other. Spray the centre of each plaque blue and black with the airbrush.

6 Lors du positionnement des plaques de l'arrière-plan, il faut veiller à ce qu'elles se soutiennent mutuellement. Pulvériser au centre avec l'airbrush en bleu et en noir.

6 Quando posizionate le lastre per lo sfondo, fate attenzione che si diano appoggio a vicenda. Con l'airbrush verniciare a spruzzo il centro di blu e di nero.

7 Die Körper des Rehwildes gemäss Seite 134 blasen und auf die Bodenplatte festsetzen.

7 Blow the bodies of the deer (see page 134) and attach to the base.

7 Souffler les corps des chevreuils (voir page 134) et les fixer sur le fond.

7 Soffiare i corpi dei caprioli come a pagina 134 e fissarli sulla lastra del fondo.

8 Sobald die Köpfe geblasen und abgekühlt sind, empfehlen wir, sie zuerst zu malen, bevor sie aufgesetzt werden. Nasen, Lauscher, Geweih und die Wedel ansetzten.

8 After the heads have been blown and cooled down, we recommend painting them before placing them on the bodies. Afterwards add the noses, ears, antlers and tails.

8 Dès que les têtes sont soufflées et refroidies, nous recommandons en premier lieu de les peindre avant de les appliquer. Fixer nez, oreilles, bois et queues.

8 Consigliamo di dipingere le teste appena soffiate e raffreddate, prima di applicarle. Attaccare i nasi, le orecchie, le corna e le code.

10 Die zwei Bodenplatten mit warmer Zuckermasse befestigen. Nie direkt mit dem Mikro-Torch erhitzen! Gegossene und abgekühlte Platten sind sehr empfindlich auf Wärme über 200 °C und könnten sich spalten.

10 Attach the two base pieces together with heated sugar mass. Never heat directly with the micro torch! Cast pieces which have cooled down are very sensitive to temperatures of over 200°C and could crack.

10 Fixer les deux plaques de fond avec une masse de sucre chaud. Ne jamais réchauffer directement avec la microtorche! Les pièces fondues et refroidies sont très sensibles à une chaleur de plus de 200 °C et peuvent se fissurer.

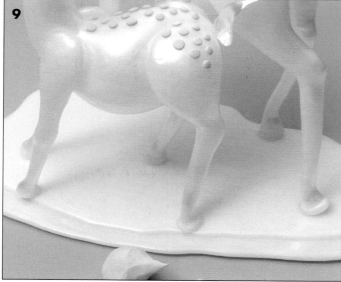

10 Fissare le due lastre del fondo con della massa di zucchero caldo. Non riscaldate mai direttamente con il Mikro-Torch! Gli oggetti colati e raffreddati sono sensibilissimi a temperature più di 200°C e rischiano di spaccarsi.

9 Für die hellen Flecken beim Rehkitz wird der gewünschte Bereich mit kleinen Plastilinkugeln belegt. Anschliessend die beiden Tiere mit dem Airbrush gelb, braun, rot und schwarz spritzen. Plastilinkugeln wieder entfernen.

9 To create the pale flecks on the coat of the fawn, place small balls of plasticine at the appropriate spots. Now spray both deer yellow, brown, red and black with the airbrush. Remove the plasticine balls.

9 Pour les taches claires du faon, appliquer de petites boules de plastiline sur les parties concernées. Pulvériser ensuite les deux animaux avec l'airbrush en jaune, brun, rouge et noir. Enlever les boules de plastiline.

9 Per creare le macchie chiare sul pelo del caprioletto, coprire la rispettiva zona di piccole palle di plastilina. Inseguito verniciare i due animali con l'airbrush di color giallo, marrone, rosso e nero. Togliere le palle di plastilina.

11 Zuckersand (Schneehäufchen) gemäss Seite 143 herstellen und mit Wasserzucker (Eis) gemäss Buch 1 Seite 51 abdecken.

11 Make some sugar sand (piles of snow) as explained on page 143 and cover with water sugar (ice) as described in book 1, page 51.

11 Confectionner le sucre sable (petits tas de neige) selon la page 143 et le recouvrir avec du sucre eau (glace) selon le livre 1, page 51.

11 Preparare dello zucchero sabbia (mucchietti di neve) come a pagina 143 e coprire con zucchero acqua (ghiaccio), come nel libro 1, pagina 51.

12 Die Föhrengebüsche mit Holz-zucker nach Buch 1 Seite 158 und geschnittenen, eingerollten Bändern nach Buch 1 Seite 93 imitieren. Den Boden unter dem Körper mit Staubzucker bedecken.

12 Make imitation fir bushes with wood sugar (see book 1, page 158) and cut, rolled-up bands (see book 1, page 93). Cover the ground underneath the animals with icing sugar.

12 Imiter les buissons de pins avec du sucre bois (voir livre 1, page 158) ainsi qu'avec des bandes coupées et enroulées (voir livre 1, page 93). Recouvrir le fond sous les corps avec du sucre en poudre.

12 Imitare il sottobosco di pini silvestri con dello zucchero legno, come nel libro 1, pagina 158 e con nastri intagliati ed arrotolati, come nel libro 1, pagina 93. Coprire il fondo sotto i corpi con dello zucchero a velo.

13 Zum Schluss das ganze Schau-stück mit dem Rehwild mit Staub-zucker leicht bestäuben.

13 Finally dredge the whole show-piece, including the deer, with a little icing sugar.

13 A la fin, saupoudrer légère-ment toute la pièce y compris les chevreuils avec du sucre en poudre.

13 Alla fine spolverare legger-mente di zucchero a velo tutto l'oggetto da mostra compresi i caprioli.

REHWILD
DEER
CHEVREUILS
CAPRIOLI

1 Gleichmässig gedehnte Kugel tropfenartig blasen.

1 Blow an evenly inflated ball into teardrop shape.

1 Souffler et dilater régulièrement une boule en forme de goutte.

1 Soffiare una palla dilatata regolarmente a forma di goccia.

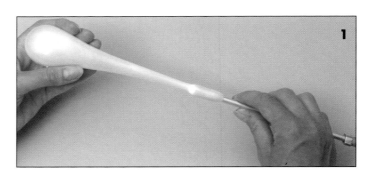

2 Das Gelenk gemäss Skizze auf der richtigen Höhe biegen.

2 Bend the joint at the right height as illustrated.

2 Plier l'articulation, d'après l'esquisse, à la bonne hauteur.

2 Curvare l'articolazione all'altezza giusta secondo l'abbozzo.

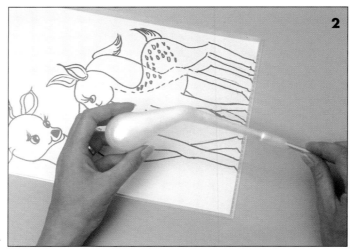

4 Die Proportionen des Hinter- und des Vorderlaufes müssen mit der Skizze massstäblich überein-stimmen.

4 The proportions of the forelegs and hindlegs must be on the same scale as in the sketch.

4 Les proportions des pattes postérieures et antérieures doivent correspondre à l'échelle de l'esquisse.

4 Le proporzioni delle zampe posteriori ed anteriori devono corrispondere in scala all'abbozzo.

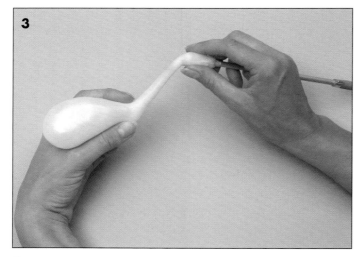

3 Für den linken und den rechten Hinterlauf ist das Gelenk jeweils seitenverkehrt. Der Kanülenansatz bildet anschliessend den Huf.

3 For the left and right hind legs the joint is on the opposite side. The point of attachment to the tube will afterwards form the hoof.

3 Pour la patte arrière gauche et droite, l'articulation est chaque fois intervertie. L'embouchure de la canule forme ensuite le sabot.

3 Per le zampe posteriori le articolazioni sono invertite di volta in volta. L'attaccatura della cannula formerà poi lo zoccolo.

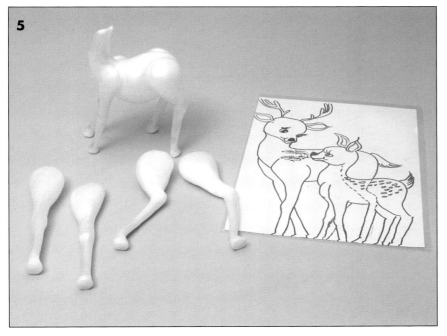

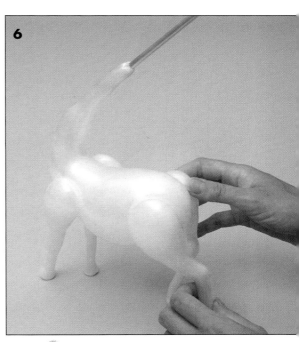

5 Wie beim Körper des Löwen auf Seite 64 wird eine Kugel tropfenartig geblasen. Beide Hinter- und Vorderläufe werden direkt angesetzt.

5 Blow a ball of sugar into teardrop shape, similarly as for the body of the lion (see page 64). Both forelegs and both hindlegs are attached to the body directly.

5 Comme pour le corps du lion (voir page 64), souffler une boule en forme de goutte. Les deux patt' postérieures et antérieures son' fixées directement.

5 Come per il corpo del leon pagina 64 soffiare una palla a forma di goccia. Attaccare dire mente entrambe le zampe posteriori e quelle anteriori.

MR. FABILO SAGT:
Bei anspruchsvollen Tierfiguren bläst man sehr oft mit dem Mund. Dadurch ist man nicht nur unabhängiger, sondern die richtige Position des Halses ist einfacher zu erreichen.

MR. FABILO SAYS:
When creating complicated animal figures it is often better to blow with the mouth. In this way you will be more independent, and it is also easier to find the right position for the neck.

MR. FABILO DIT:
Pour des figures d'animaux exigeantes, on souffle très souvent avec la bouche. De cette façon, on n'est pas seulement plus indépendant, mais la position juste du cou est plus facile à obtenir.

MR. FABILO DICE:
Figure di animali impegnative vanno soffiate molto spesso con la bocca. In questo modo si è non solo più liberi nel modellare ma si riesce anche meglio ad ottenere la posizione giusta del collo.

6 Um möglichst mit beiden Händen arbeiten zu können, hält man den Blasebalg mit dem Mund fest und dehnt den Körper auf diese Weise.

6 To be able to work as much as possible with both hands, you should hold the pump in your mouth to inflate the body.

6 Pour pouvoir, si possible, travailler avec les deux mains, on tient le soufflet avec la bouche et on dilate le corps de cette manière.

6 Per poter lavorare con tutte e due le mani, tenete il soffietto con la bocca e dilatate in questo modo il corpo dell'animale.

DAS ANTHURIUM | THE ANTHURIUM | L'ANTHURIUM | L'ANTHURIUM

Silikon-Kautschuk-Formen nehmen eine immer wichtigere Position in der Zuckerartistik ein. Für ein Schaustück, das in nur zwei Stunden fertig sein sollte, benötigen Sie zweckmässige Hilfsmittel. Allerdings verlangt unser Berufsstolz, dass das handwerkliche Können dominiert.

The use of silicone rubber moulds in sugar art is becoming more and more popular. In order to create a showpiece in only two hours you will need suitable working aids. However, our professional pride demands that manual skill should still predominate.

Les moules en silicone-caoutchouc prennent une importance de plus en plus grande dans les arts du sucre. Pour une pièce devant être terminée en deux heures seulement, ils nécessitent toutefois des moyens auxiliaires. Notre fierté professionnelle nous demande néanmoins que le savoir-faire artisanal domine.

Gli stampini di silicone-caucciù conquistano una posizione sempre più importante nell'arte dello zucchero. Per ottenere un oggetto da mostra entro due ore abbiamo bisogno di mezzi ausiliari appropriati. Il nostro orgoglio professionale richiede però che predominino le capacità manuali.

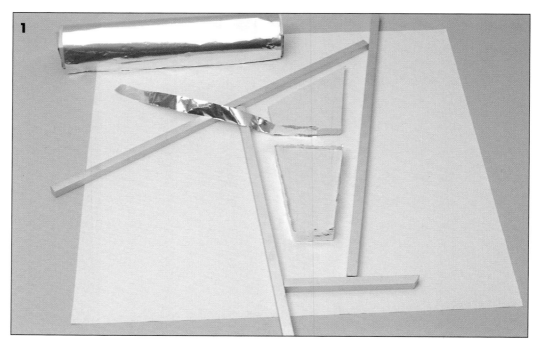

1 Hintergrund mit sandgestrahlten Metallstäben abgrenzen. Die Plastilinflächen können mit Streifen von Aluminiumfolie eingefasst werden. Dadurch entfällt das Ölen.

1 Border off the background with sand-blasted metal rods. The plasticine surfaces can be bordered with strips of aluminium foil, so that greasing is unnecessary.

1 Délimiter l'arrière-plan avec des baguettes en métal sablées. Les surfaces en pâte à modeler peuvent être bordées avec des bandes de feuille d'aluminium. De ce fait, il n'est pas besoin de huiler.

1 Delimitare lo sfondo con delle bacchette di metallo sabbiate. Le superfici di plastilina possono essere bordate con strisce di una foglia di alluminio. In questo modo non c'è bisogno di oliare.

2

3

3 Zwei grosse, spitzig gezogene Blätter ansetzen. Die Aderstruktur mit weisser Farbe hervorheben. Hintergrund mit Klarsichtfolie abdecken und die Blätter mit dem Airbrush braun-schwarz schattieren.

3 Mount two large leaves, pulled into a point, accentuating the veins with white colouring. Cover the background with cellophane and then airbrush the leaves brown and black.

3 Appliquer deux grandes feuilles tirées en pointe. Faire ressortir la structure veineuse avec de la couleur blanche. Recouvrir l'arrière-plan avec des feuilles de cellophane et ombrer les feuilles avec l'airbrush en brun-noir.

3 Attaccare due grandi foglie tirate a punta. Mettere in rilievo le venature con del colore bianco. Ricoprire lo sfondo con una foglia trasparente ed ombreggiare le foglie con l'airbrush in marrone e nero.

2 Den Boden und den Hintergrund mit der Stütze mit geschlämmtem Zucker oder mit Perlen marmoriert giessen und zusammensetzen.

2 Cast the base and the background with its support from opaque sugar or marbled pearls and assemble.

2 Fondre et assembler le fond et l'arrière-plan avec les supports au moyen de sucre opaque ou de perles marbrées.

2 Colare in maniera marmorata il fondo e lo sfondo insieme all'appoggio con dello zucchero opaco o perle ed unire le parti così ottenute.

4 Die Anthurien gemäss Seite 141 herstellen und aufsetzen.

4 Create the anthuria (see page 141) and place them on the show-piece.

4 Créer et appliquer les anthuria (voir page 141).

4 Preparare le anthuria come a pagina 141 ed applicarle.

5 Für die Dekorationsfäden wird ein Keil gemäss Buch 1 Seite 91 dreimal auseinandergezogen, aufgeschnitten und um eine Holzkelle gerollt.

5 For the decorative strands, pull a strip of sugar apart three times (see book 1, page 91), cut through at the bottom and roll around a wooden spoon.

5 Pour les fils de décoration, tirer trois fois un coin (voir livre 1, page 91), l'ouvrir et l'enrouler autour d'une spatule en bois.

5 Per i fili di decorazione tirare in lungo tre volte un cuneo come nel libro 1 pagina 91, aprirlo ed arrotolare i fili attorno ad un cucchiaio di legno.

6 Mit Hilfe eines Metallstabes einen Sockel aus Zuckersand gemäss Seite 143 formen.

6 Form a base from sugar sand (see page 143) with the aid of a metal spatula.

6 A l'aide d'une baguette en métal, former un socle en sucre sable (voir page 143).

6 Con l'aiuto di una bacchetta di metallo formare una base di zucchero sabbia come a pagina 143.

SILIKON-KAUTSCHUK-FORM
SILICONE RUBBER MOULD
MOULE EN SILICONE-CAOUTCHOUC
STAMPINO DI SILICONE-CAUCCIU

1 Die Innenseite des Ausstechers mit Butter ausstreichen und den Ring auf ein Silikonpapier legen.

1 Grease the inside of the cutter with butter and place the ring onto a piece of silicone paper.

1 Graisser le côté intérieur du découpoir avec du beurre et poser le découpoir sur du papier silicone.

1 Spalmare l'interno dello stampino con burro ed appoggiare l'anello su della carta silicone.

2 Abfälle von festem Silikon auf die Giessfläche legen.

2 Place the discarded pieces of hardened silicone onto the casting surface.

2 Poser les restes de la silicone solide sur la surface de coulage.

2 Appoggiare dei resti di silicone solido sulla superficie di colatura.

3 Den Blumenstiel auf Ringhöhe abschneiden, damit das Anthurium mit dem Metallstab fixiert werden kann.

3 Cut off the stalk at the height of the ring, so that the anthurium can be fixed with the metal rod.

3 Couper la queue de la fleur à hauteur du découpoir de façon à ce que l'anthurium puisse être fixé avec la baguette en métal.

3 Tagliare lo stelo del fiore all'altezza del bordo dell'anello per poter fissare l'anthurium con la bacchetta di metallo.

4 Nach dem gründlichen Unter-
rühren der entsprechenden Ver-
netzermenge wird die Form bis zu
drei Viertel mit Silikon aufgefüllt.

4 Add the appropriate quantity of
catalyst to the silicone and stir
thoroughly. Pour into the mould
until it is three-quarters full.

4 Après avoir soigneusement
mélangé les différents durcisseurs,
remplir le moule aux trois quarts
avec de la silicone.

4 Dopo aver girato a fondo i
diversi componenti indurenti,
riempire lo stampino a tre quarti
con il silicone.

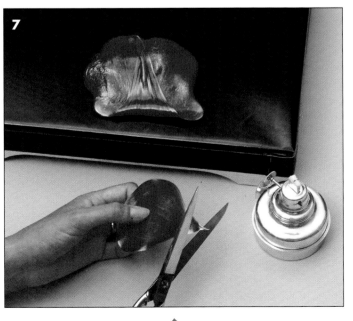

6 Nach 24 Stunden hat sich der
Silikon-Kautschuk vollständig
verfestigt und die Form kann geteilt
werden.

6 After 24 hours the silicone rubber will have hardened completely
and the mould can be dismantled.

6 Après 24 heures, la silicone-
caoutchouc s'est entièrement
solidifiée et le moule peut être
détaché.

6 Dopo 24 ore il silicone-cauccìu
si è solidificato completamente e lo
stampino può essere diviso.

5 Die Blume vorsichtig in das
flüssige Silikon schieben. Dabei
darf sich auf der Unterseite keine
Luft einschliessen. Mit dem Metallstab fixieren.

5 Place the flower carefully into
the liquid silicone, without allow-
ing any air inclusions on the
underside of the flower. Fix with
the metal rod.

5 Pousser précautionneusement la
fleur dans la silicone liquide. Ce
faisant, il ne doit pas pénétrer d'air
par-dessous. Fixer avec la baguette
en métal.

5 Con cautela immergere il fiore
nel silicone liquido, facendo attenzione che nella parte inferiore non
ci sia presenza di aria. Fissare in
seguito con la bacchetta di metallo.

7 Die Spitze eines gezogenen
Blattes runden.

7 Round off the point of a pulled
leaf.

7 Arrondir la pointe d'une feuille
tirée.

7 Arrotondare la punta della foglia
tirata.

8 Unverzüglich in die Silikon-Kautschuk-form pressen.

8 Press immediately into the silicone rubber mould.

8 Presser immédiatement dans le moule en silicone-caoutchouc.

8 Premere subito nello stampino di silicone-cauccîù.

MR. FABILO SAGT:
Die Form sollte vor dem Pressen mit dem Fön auf 40 °C erwärmt werden, damit die Blume beim Pressen nicht so schnell bricht.

MR. FABILO SAYS:
Heat the mould to 40°C with the hairdryer beforehand, so that the flower will not be so likely to break during pressing.

MR. FABILO DIT:
Avant le pressage, le moule doit être réchauffé à 40 °C avec le sèche-cheveux pour que la fleur ne se brise pas si facilement au moment où elle est pressée.

MR. FABILO DICE:
Lo stampino dovrebbe essere riscaldato a 40°C con l'asciuga-capelli, prima di esercitare la pressione in modo da evitare che il fiore facilmente si spezzi.

9 Das Blütenzentrum aus einer Kugel modellieren, anfeuchten und im Kristallzucker wenden.

9 Model the centre of the flower from a ball of sugar, moisten and coat with granulated sugar.

9 Modeler le centre de la fleur à partir d'une boule, humidifier et tourner dans du sucre cristallisé.

9 Modellare il centro del fiore da una palla, umidificarlo e girarlo nello zucchero cristallino.

ZUCKERSAND
SUGAR SAND
SUCRE SABLE
ZUCCHERO SABBIA

1 Kristallzucker (eventuell mit Staubzucker und Perlen) mit Pulverfarben mischen.

1 Mix the granulated sugar (possibly with icing sugar and pearls) together with powdered colouring.

1 Mélanger du sucre cristallisé (éventuellement avec du sucre en poudre et des perles) avec des couleurs en poudre.

1 Mischiare dello zucchero cristallino (eventualmente con dello zucchero a velo e perle) con del colore in polvere.

2 Mit so viel Wasser mischen, bis ein sandartiges Gemisch entsteht.

2 Mix with water until a sandlike mixture is obtained.

2 Mélanger avec autant d'eau jusqu'à l'obtention d'un mélange sablonneux.

2 Mischiare con così tanta acqua fino ad ottenere un miscuglio sabbioso.

3 Es darf sich jedoch kein Sirup bilden.

3 However, do not allow a syrup to form.

3 Il ne doit toutefois pas se former de sirop.

3 Non si deve formare però uno sciroppo.

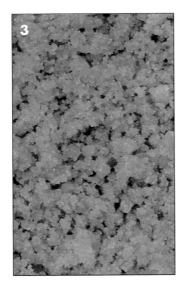

MR. FABILO SAGT:
Der Sandzucker muss nur auf dem Schaustück aufgelegt werden. Durch das Trocknen wird er fest und lässt sich kaum mehr entfernen.

MR. FABILO SAYS:
The sugar sand need only be placed on the showpiece. It will harden during drying and is afterwards difficult to remove.

MR. FABILO DIT:
Le sucre sable ne doit être répandu que sur la pièce. Par le dessèchement, il se fixe et ne se laisse pratiquement plus enlever.

MR. FABILO DICE:
Lo zucchero sabbia dev'essere appoggiato sull'opera da mostra. Quando si asciuga diventa solido e non sarà più possibile togliere.

LATEX-GIESS-FORMEN, BESTECHEND EINFACH!

Hitzebeständige Giessformen aus Latex geben der Zucker-artistik nicht nur mehr Abwechs-lung, sondern sprechen wegen der Zeitersparnis ein neues Publikum an. Ein gegossener Engel aus Perlen mit eingegos-sener Schnur dient als attraktive Paketdekoration vor Weihnach-ten oder kann sogar als Weih-nachtsbaumschmuck dienen. Die einfache Handhabung der Giessform wird in dieser Lektion Schritt für Schritt erklärt.

LATEX CASTING MOULDS: THE SIMPLE WAY TO IMPRESS!

Heat-resistant latex casting forms not only mean a wider variety of themes in sugar art: they also save time and there-fore appeal to a new type of customer. A cherub cast from pearls with incorporated string attachment makes an attractive decoration for a Christmas gift, or you can even hang it on the Christmas tree. This lesson explains how to use the casting form, step-by-step.

LES MOULES EN LATEX: DIFFICILE DE FAIRE PLUS SIMPLE!

Les moules en latex résistant à la chaleur n'apportent pas seulement plus de variété aux arts du sucre, mais s'adressent à un nouveau public par leur économie de temps. Un ange fondu en perles avec ficelle incorporée sert de décoration de paquet attractive avant Noël ou peut même servir de décora-tion d'arbre de Noël. La manipulation simple du moule est expliquée pas à pas dans cette leçon.

GLI STAMPINI DI LATEX: AFFASCI-NANTEMENTE SEMPLICE!

Gli stampini di latex resistenti al calore non danno solo più varietà all'arte dello zucchero, ma sono graditi anche ad un nuovo pubblico per via del loro risparmio di tempo. Un angelo colato di perle con un filo incorporato non serve solo da decorazione attraente per i pacchi prima di Natale, ma può persino decorare l'albero di Natale. In questa lezione l'uso semplice degli stampini viene spiegato passo per passo.

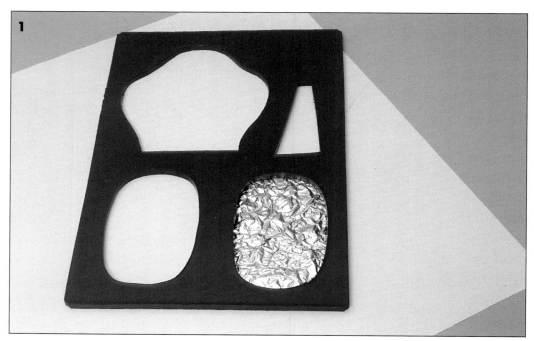

1 Für eine Serienproduktion empfiehlt es sich, eine Giessschablone gemäss Buch 1 Seite 54 herzustellen. Für den Hintergrund eine geölte und zerknitterte Aluminiumfolie auslegen.

1 Casting figures in series is simplified by firstly making up a casting template (see book 1, page 54). For the background, spread out a greased, scrunched sheet of aluminium foil.

1 Pour une production en série, il est recommandé de réaliser un modèle (voir livre 1, page 54). Pour l'arrière-plan, étendre une feuille d'aluminium huilée et froissée.

1 Per la produzione in serie è consigliato di prepara-re una sagoma per colare, come nel libro 1 pagina 54. Per lo sfondo stendere una foglia di alluminio oliata e sgualcita.

145

2 Mit klarem Zucker oder mit Perlen ausgiessen, abkühlen, Aluminiumfolie entfernen und zum Eingiessen in die Rahmenschablone legen. Den Boden in der Schablone mit Aluminiumfolie abdecken.

2 Cast the piece with clear sugar or pearls, cool down, remove the aluminium foil and place in the template for the frame. Cover the base of the template with aluminium foil.

2 Vider avec du sucre clair ou des perles et refroidir, enlever la feuille d'aluminium et pour verser, poser dans les modèles de cadre. Recouvrir le fond dans le modèle avec une feuille d'aluminium.

2 Versare con dello zucchero chiaro o perle, raffreddare, togliere il foglio di alluminio e, per versare, posare nella sagoma-cornice. Ricoprire il fondo nella sagoma con un foglio di alluminio.

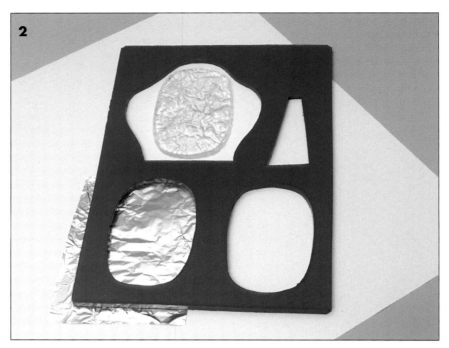

3 Boden, Rahmen, Stütze und Engel gemäss Seite 148 giessen.

3 Cast the base, frame, support and cherub (see page 148).

3 Couler fond, cadre, support et ange (voir page 148).

3 Colare il fondo, la cornice, l'appoggio e l'angelo, come a pagina 148.

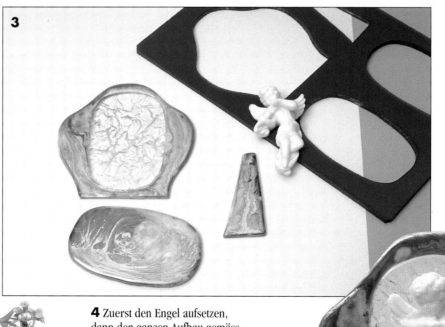

MR. FABILO SAGT:
Giessschablonen aus Silikon-Kautschuk müssen nicht geölt werden.

MR. FABILO SAYS:
Silicone rubber casting templates need not be greased.

MR. FABILO DIT:
Les modèles de coulage en silicone-caoutchouc n'ont pas besoin d'être huilés.

MR. FABILO DICE:
Le sagome di silicone-caucciù non devono essere oliate.

4 Zuerst den Engel aufsetzen, dann den ganzen Aufbau gemäss Abbildung zusammenfügen.

4 First, mount the cherub, then assemble the showpiece as illustrated.

4 Appliquer d'abord l'ange, puis assembler le tout comme sur l'illustration.

4 Applicare prima l'angelo, poi unire tutto l'oggetto come nell'immagine.

5 Mit gespritzten Stechpalmenblättern gemäss Seite 109 dekorieren.

5 Decorate with sprayed holly leaves (see page 109).

5 Décorer avec des feuilles de houx peintes (voir page 109).

5 Decorare con foglie di un leccio spinoso verniciato a spruzzo, come a pagina 109.

6 Für den Weihnachtsstern werden drei verschieden grosse Blütenblätter gezogen und sternartig direkt an das Schaustück angesetzt. Als Zentrum kleine Keile oben flachdrücken, im Kristallzucker wenden und ansetzen.

6 To create the poinsettia pull petals of three different sizes and arrange them on the showpiece in star formation. Flatten some small wedges at the top, coat them in granulated sugar and insert at the centre of the poinsettia.

6 Pour l'étoile de Noël, tirer trois pétales de différente grandeur en forme d'étoile et les appliquer directement sur la pièce. Comme centre, aplatir en haut de petits coins, les rouler dans du sucre cristallisé et les appliquer.

6 Per la stella di Natale tirare tre petali a grandezze diverse ed attaccarli a forma di stella direttamente all'oggetto da mostra. Come centro appiattire piccoli cunei nella loro parte superiore, girarli nello zucchero cristallino ed attaccarli.

7 Zum Abschluss mit den Christrosen und Beeren gemäss Seite 108 nach eigener Phantasie schmücken.

7 Finally decorate with Christmas roses and berries (see page 108) according to your own imagination.

7 Décorer pour finir selon sa propre fantaisie avec des roses de Noël et des baies (voir page 108).

7 Decorare alla fine secondo la propria fantasia con delle rose di Natale e con delle bacche, come a pagina 108.

LATEX-GIESSFORMEN
LATEX CASTING MOULDS
MOULES EN LATEX
STAMPINI DI LATEX

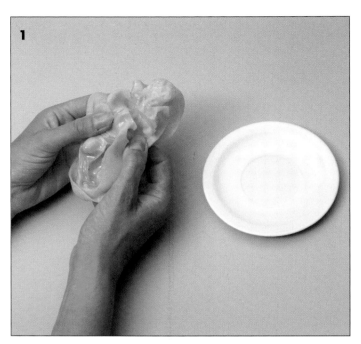

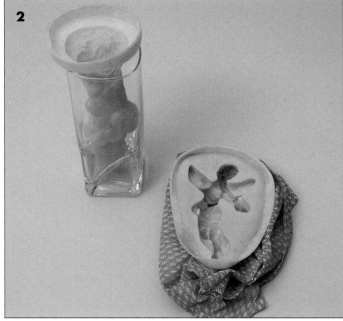

1 Die Giessformen umkehren und gründlich mit Erdnussöl einölen.

1 Turn the casting moulds inside out and lubricate them thoroughly with peanut oil.

1 Retourner les moules et les huiler soigneusement avec de l'huile de cacahuète.

1 Rovesciare gli stampini ed oliarli prudentemente con dell'olio di arachide.

2 Je nach Form zum Giessen mit einer Stütze befestigen.

2 Place each mould on a suitable support, ready for casting.

2 Selon le moule à couler, renforcer avec un support.

2 A seconda della forma da colare rinforzare con un sostegno.

3 Die mit Zucker oder Perlen ausgegossenen Formen können in einem Wasserbad, im Tiefkühler oder im Arbeitsraum ausgekühlt werden.

3 The moulds filled with cast sugar or pearls may be cooled down in a water bath, in the deep-freezer or in the workroom.

3 Les moules vidés avec du sucre ou des perles peuvent être refroidis dans un bain d'eau, au réfrigérateur ou dans la salle de travail.

3 Gli stampini versati con dello zucchero o con perle possono essere raffreddate nel bagno d'acqua, nel congelatore o nel locale di lavoro.

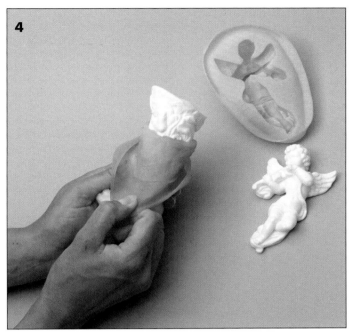

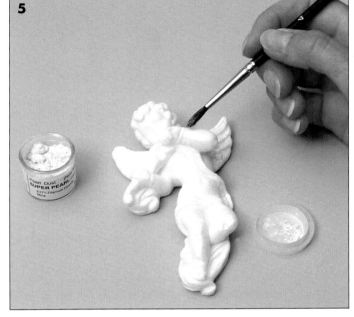

4 Nach vollständigem Abkühlen wird die Latex-Giessform entfernt.

4 Allow to cool completely and remove the latex casting mould.

4 Enlever le moule en latex après un refroidissement complet.

4 Dopo il raffreddamento completo, togliere lo stampino di latex.

5 Für einen speziellen Glanz mit dem Pinsel mit Orange oder Super Glanz-Staub bestäuben.

5 To obtain a pearlised effect, brush over with orange or super pearl dust.

5 Pour un brillant spécial, pulvériser au pinceau avec de la poudre brillante orange ou de la superpoudre brillante.

5 Per ottenere una lucentezza speciale, con il pennello cospargere di polvere arancione o polvere super lucida.

MR. FABILO SAGT:
Flache Giessformen können auch auf ein Blech mit Kristallzucker gedrückt werden. Dies eignet sich bestens zum rationellen Giessen und zum Auskühlen einer grösseren Stückzahl.

MR. FABILO SAYS:
Flat casting moulds can also be pressed out on a tray covered with granulated sugar. This is ideal for casting and cooling down a larger number of pieces.

MR. FABILO DIT:
Les moules plats peuvent être pressés sur une tôle avec du sucre cristallisé. Cela convient parfaitement à un coulage rationnel et pour le refroidissement d'un nombre élevé de pièces.

MR. FABILO DICE:
Gli stampini piatti possono anche essere premuti su una teglia coperta di zucchero cristallino. Questo metodo si adatta benissimo per una colatura razionale e per raffreddare un maggiore numero di oggetti.

SONDERANFER-TIGUNGEN, EINE MARKTLÜCKE?

SPECIAL ORDERS, A MARKET NICHE?

Diese Frage stellten wir uns schon vor vier Jahren und widmeten ihr im ersten Buch unter dem Titel «Ein Hauch des Besonderen» sechs Seiten. Heute können wir die Frage mit Sicherheit bejahen und bestätigen, dass die Zuckerartistik eine Marktnische gefunden hat. Pro Jahr erhöhen wir den Umsatz bei Sonderanfertigung um 300 %, ein klares Zeichen, dass beim Publikum ein Bedürfnis schlummert. Um diese Chance nicht zu verschlafen, reagieren wir auf Seite 162 auf dieses Marktpotential.
Flexibilität, Innovation und Kreativität sind auch für unser Metier die Voraussetzungen. So individuell die Kundenwünsche, so verschieden erreichen uns auch die Aufträge. Ob eine Bildvorlage, ein Modell oder nur Stichwörter überreicht werden, die Erwartung des Kunden muss stets erfüllt werden.

Wir zeigen Ihnen auf den folgenden Seiten eine Auswahl von Sonderanfertigungen mit den entsprechenden Kundenvorgaben.

We already considered this question four years ago and devoted six pages to it in our first book under the heading: «That something special». Today we can confidently answer our question in the affirmative, and we can confirm that sugar art has indeed discovered a market niche. Each year our turnover on special orders increases by 300 % – a sure sign of a latent demand amongst the general public. We don't want to miss this opportunity, and you will find our reaction to this market potential on page 162. Flexibility, innovation and creativity are the essential requirements for our profession. Our orders vary in accordance with customers' individual requirements. No matter whether our customer supplies a picture, a model or just a few key words, we must always satisfy his expectations.

In the following pages we shall be showing you a selection of special orders with the corresponding information supplied by the customer.

Vorlage:	Prospekt und Fotos
Zeitaufwand:	4 Stunden
Höhe:	35 cm

Example supplied:	Prospectus and photos
Time required:	4 hours
Height:	35 cm

Exemple:	Prospectus et photos
Temps nécessaire:	4 heures
Hauteur:	35 cm

Esempio:	Prospetto e delle foto
Tempo necessario:	4 ore
Altezza:	35 cm

FABRICATIONS SPÉCIALES, UNE LACUNE DU MARCHÉ?

Nous nous sommes déjà posé cette question il y a quatre ans et lui avons consacré dans notre premier livre, sous le titre «L'esprit original», six pages. Aujourd'hui, nous pouvons répondre par l'affirmative et confirmer que les arts du sucre ont trouvé une position sur le marché. Nous augmentons le chiffre d'affaires des fabrications spéciales de 300 % par année, un signe évident de l'engouement du public. Pour ne pas manquer cette occasion, nous réagissons à la page 162 sur ce potentiel du marché. Flexibilité, innovation et créativité sont les conditions propres à notre métier. Aussi individuels les souhaits des clients, aussi différentes les commandes. Que le client nous transmette une copie d'image, un modèle ou des mots clés, son attente doit toujours être satisfaite.

Nous vous indiquons dans les pages suivantes un choix de fabrications spéciales avec les indications correspondantes des clients.

REALIZZAZIONI SPECIALI, UNA LACUNA DI MERCATO?

Questa domanda ce la siamo già fatta quattro anni fa e le abbiamo dedicato nel primo libro sei pagine sotto il titolo «Qualcosa di speciale». Oggi possiamo rispondere affermativamente a questa domanda e confermare che l'arte dello zucchero ha trovato una lacuna di mercato. Incrementiamo la cifra d'affari della produzione di realizzazioni speciali del 300 %, un segno chiaro, che nel pubblico è sopito un bisogno. Per non perdere questa occasione reagiamo a questo potenziale di mercato a pagina 162. Flessibilità, innovazione e creatività sono le premesse anche per il nostro mestiere. Così individuali i desideri dei clienti, così diverse sono le vie sulle quali ci raggiungono le ordinazioni. Se ci vengono consegnate delle immagini, un modello o solo alcuni appunti, le aspettative del cliente devono sempre essere adempite.

Vi mostriamo nelle seguenti pagine una scelta di realizzazioni speciali con le relative indicazioni dei clienti.

Vorlage: Modell
Zeitaufwand: 7 Stunden
Höhe: 50 cm

Example supplied: Model
Time required: 7 hours
Height: 50 cm

Exemple: Modèle
Temps nécessaire: 7 heures
Hauteur: 50 cm

Esempio: Modello
Tempo necessario: 7 ore
Altezza: 50 cm

Vorlage:	Originaluhr
Zeitaufwand:	4 Stunden
Höhe:	30 cm
Example supplied:	Original watch
Time required:	4 hours
Height:	30 cm
Exemple:	Montre originale
Temps nécessaire:	4 heures
Hauteur:	30 cm
Esempio:	Orologio originale
Tempo necessario:	4 ore
Altezza:	30 cm

Vorlage:	Schwarz-weiss Kopie eines Halsanhängers
Zeitaufwand:	2,5 Stunden
Höhe:	45 cm
Example supplied:	Black and white copy of a pendant
Time required:	2 ½ hours
Height:	45 cm
Exemple:	Copie en noir et blanc d'un pendentif
Temps nécessaire:	2 heures et demie
Hauteur:	45 cm
Esempio:	Fotocopia in bianco e nero di un ciondolo
Tempo necessario:	2,5 ore
Altezza:	45 cm.

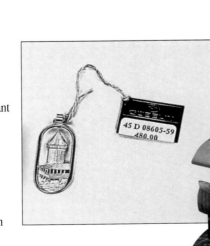

Vorlage:	Text, Stichwörter
Zeitaufwand:	3 Stunden
Höhe:	35 cm

Example supplied:	Text, key words
Time required:	3 hours
Height:	35 cm

Exemple:	Texte, mots clés
Temps nécessaire:	3 heures
Hauteur:	35 cm

Esempio:	Testo, appunti
Tempo necessario:	3 ore
Altezza:	35 cm

Vorlage:	Prospekt
Zeitaufwand:	1,5 Stunden
Höhe:	30 cm

Example supplied:	Prospectus
Time required:	1½ hours
Height:	30 cm

Exemple:	Prospectus
Temps nécessaire:	1 heure et demie
Hauteur:	30 cm

Esempio:	Prospetto
Tempo necessario:	1,5 ore
Altezza:	30 cm

Vorlage:	Skizze
Zeitaufwand:	1 Stunde
Höhe:	25 cm
Example supplied:	Sketch
Time required:	1 hour
Height:	25 cm
Exemple:	Esquisse
Temps nécessaire:	1 heure
Hauteur:	25 cm
Esempio:	Abozzo
Tempo necessario:	1 ora
Altezza:	25 cm

PRODUKTIONSHINWEISE
REFERENCE KEYS
INDICATIONS DE PRODUCTION
CENNI SULLA PRODUZIONE

Die angewende Arbeitstechnike sind unter folge den Lektionen i diesem Buch n zuschlagen:

The working te niques used ca consulted unde following lesso this book:

Les techniques travail employé sont à consulter dans ce manuel dans les leçons suivantes:

Le tecniche di la zione applicate sono da consul in questo libro seguenti lezioni

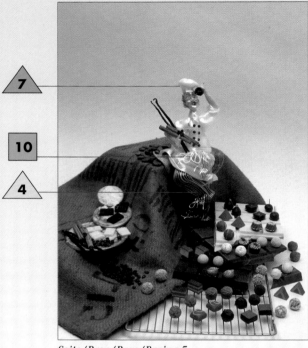

Seite / Page / Page / Pagina 5

Seite / Page / Page / Pagina 10

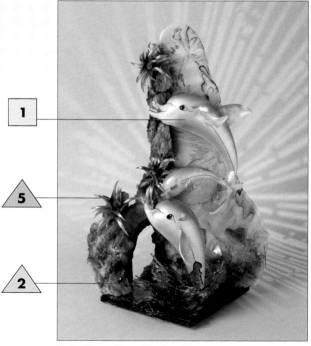

Seite / Page / Page / Pagina 29

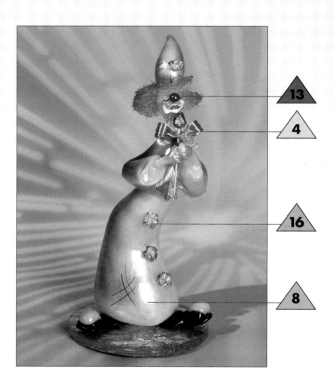

Seite / Page / Page / Pagina 35

Die angewendeten Arbeitstechniken sind unter folgenden Lektionen im Buch 1 – Das grosse Lehrbuch der Zuckerartistik – nachzuschlagen:

The working techniques used can be consulted under the following lessons in book 1 – The Complete Manual to Sugar Art:

Les techniques de travail employées sont à consulter dans le livre 1 – Le grand manuel des arts du sucre – dans les leçons suivantes:

Le tecniche di lavorazione applicate sono da consultare in questo libro nelle seguenti lezioni del libro 1 – Il grande manuale dell'Arte dello Zucchero:

Seite / Page / Page / Pagina 37

Seite / Page / Page / Pagina 52

Seite / Page / Page / Pagina 45

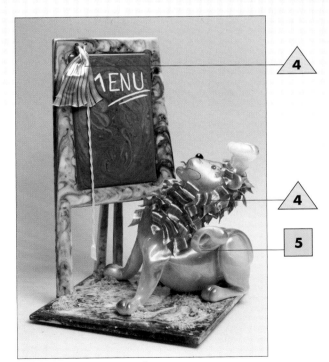

Seite / Page / Page / Pagina 61

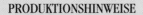

Die angewende
Arbeitstechnik
sind unter folg
den Lektionen
diesem Buch n
zuschlagen:

The working te
niques used ca
consulted unde
following lesso
this book:

Les techniques
travail employé
sont à consulte
dans ce manue
dans les leçons
suivantes:

Le tecniche di la
zione applicate
sono da consul
in questo libro
seguenti lezion

Seite / Page / Page / Pagina 67

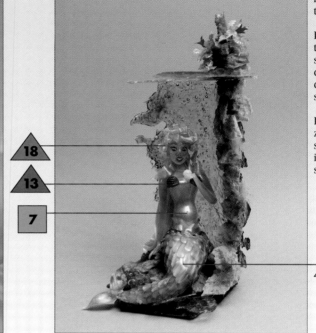

Seite / Page / Page / Pagina 76

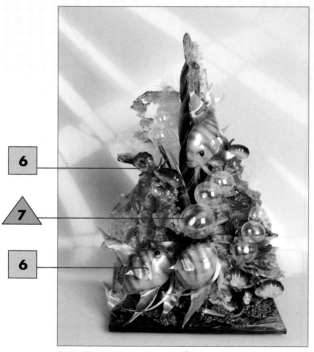

Seite / Page / Page / Pagina 69

Seite / Page / Page / Pagina 86

Die angewendeten
Arbeitstechniken
sind unter folgen-
den Lektionen im
Buch 1 – Das
grosse Lehrbuch
der Zuckerartistik –
nachzuschlagen:

The working tech-
niques used can be
consulted under the
following lessons in
book 1 – The
Complete Manual
to Sugar Art:

Les techniques de
travail employées
sont à consulter
dans le livre 1 – Le
grand manuel des
arts du sucre –
dans les leçons
suivantes:

Le tecniche di lavora-
zione applicate
sono da consultare
in questo libro
nelle seguenti lezio-
ni del libro 1 – Il
grande manuale
dell'Arte dello
Zucchero:

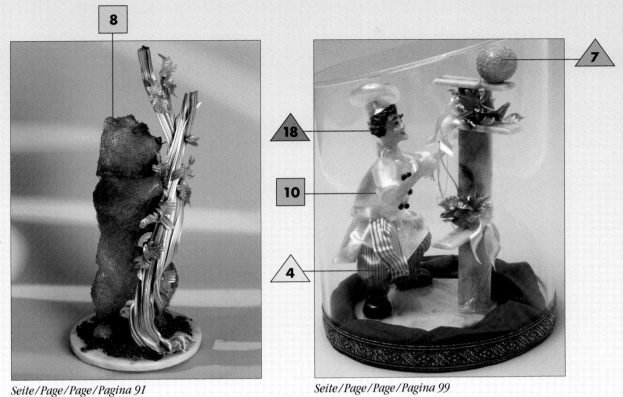

Seite / Page / Page / Pagina 91

Seite / Page / Page / Pagina 99

Seite / Page / Page / Pagina 92

Seite / Page / Page / Pagina 105

PRODUKTIONSHINWEISE
REFERENCE KEYS
INDICATIONS DE PRODUCTION
INDICAZIONI SULLA PRODUZIONE

Die angewend
Arbeitstechnik
sind unter folg
den Lektionen
diesem Buch n
zuschlagen:

The working te
niques used ca
consulted und
following lessc
this book:

Les techniques
travail employe
sont à consulte
dans ce manue
dans les leçon:
suivantes:

Le tecniche di l
zione applicate
sono da consu
in questo libro
seguenti lezior

Seite / Page / Page / Pagina 111

Seite / Page / Page / Pagina 112

Seite / Page / Page / Pagina 118

160

Die angewendeten Arbeitstechniken sind unter folgenden Lektionen im Buch 1 – Das grosse Lehrbuch der Zuckerartistik – nachzuschlagen:

The working techniques used can be consulted under the following lessons in book 1 – The Complete Manual to Sugar Art:

Les techniques de travail employées sont à consulter dans le livre 1 – Le grand manuel des arts du sucre – dans les leçons suivantes:

Le tecniche di lavorazione applicate sono da consultare in questo libro nelle seguenti lezioni del libro 1 – Il grande manuale dell'Arte dello Zucchero:

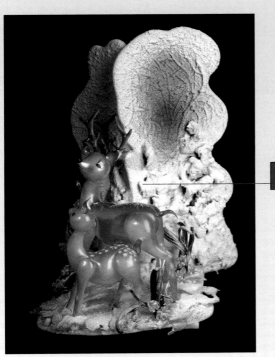

Seite/Page/Page/Pagina 129

Seite/Page/Page/Pagina 145

Seite/Page/Page/Pagina 137

Seite/Page/Page/Pagina 162

KARRIERE-PLANUNG

Vor sechs Jahren, bei Eröffung unserer Fachschule für Zuckerartistik, hatten wir die Vision, ein altes Handwerk neu aufleben zu lassen. Der Zuckerverbrauch betrug damals 500 kg pro Jahr. Die Vision ist geblieben, der Zuckerverbrauch jedoch beträgt heute, bei steigender Tendenz, bereits über 30'000 kg pro Jahr.

Die brotlose Kunst konnte sich durchsetzen. Diesen Erfolg haben wir allen zu verdanken, die daran glauben und sich vor dem Publikum mit viel Durchhaltewillen in Szene setzen. Durch die Öffnung zum Publikum entsteht plötzlich eine Nachfrage und die Marktnische ist gefunden. Ob Rickenbach, New Delhi oder Los Angeles, überall wird das Bedürfnis verschieden sein, und es liegt an uns, dieses Handwerk auf dem heimischen Markt so anzupassen, dass man daraus ein Einkommen erzielen kann.

Das jüngste Beispiel beweist dies deutlich. Mit der Produktionsgruppe «Fabilettos» wurden in nur drei Monaten 40'000 US-$ Umsatz erwirtschaftet. Es gibt somit genügend Sonne für alle. Durch Flexibilität, Innovation und Kreativität wird dieses tolle Handwerk seinen Platz auf dem Markt finden.

Seit dem 1. Juli 1997 haben wir unsern Status von der Fachschule zur Berufsfachschule aufgewertet und dadurch einer möglichen Berufskarriere in Bereich Zuckerartistik den Weg geebnet.

Für ausführlichere Informationen stehen wir Ihnen jederzeit sehr gerne zur Verfügung.

PLANNING A CAREER

When we opened our vocational school of sugar art six years ago our concept was the revival of an ancient craft. At that time sugar consumption was around 500 kg per year. The concept remains unchanged, but today sugar consumption amounts to over 30,000 kg per year and it is still on the increase. In other words, a seemingly unprofitable art has come into its own. This success has been achieved thanks to all those who believe in the potential of this craft and who strive constantly to win over the public.

As soon as a door is opened to the public, there is a sudden demand and a market niche is discovered. The needs differ from place to place - depending on whether you live in Rickenbach, New Delhi or Los Angeles - and we must adapt this craft to the local market to turn it into a profitable business.

The latest example demonstrates this fact quite plainly. In only three months the «Fabiletto» production group attained sales amounting to US-$ 40,000. There is a place in the sun for everyone: through flexibility, innovation and creativity this magnificent craft is destined to find a market.

With effect from 1 July 1997 we have upgraded the status of our vocational school to that of a professional trade school, thereby laying the foundations for future careers in sugar art. We shall be pleased to provide detailed information upon request.

PLANIFICATION DE CARRIÈRE

Il y a six ans, lors de l'ouverture de notre école professionnelle pour les arts du sucre, nous avions la vision de ressusciter un vieux métier. La consommation de sucre était alors de 500 kg par an. La vision est restée, mais la consommation de sucre, en progression constante, est de plus de 30 000 kg par an. L'art en sommeil a pu renaître. Nous devons ce succès à tous ceux qui y ont cru et ont su s'imposer au public avec beaucoup de volonté et de fermeté.

Par l'ouverture au public, une demande soudaine a suivi et la place sur le marché a été trouvée. Que ce soit à Rickenbach, à La Nouvelle-Delhi ou à Los Angeles, partout le besoin sera différent et ce sera à nous d'adapter ce métier à chaque marché indigène afin qu'un profit puisse en être tiré. L'exemple le plus récent le prouve clairement. Avec le groupe de production «Fabilettos», un chiffre d'affaires de 40 000 dollars US a été atteint en seulement trois mois. Il y a de la place pour tout le monde. Avec de la flexibilité, de l'innovation et de la création, ce métier passionnant trouvera son créneau sur le marché. Depuis le 1er juillet 1997, nous avons pu relever notre statut d'école professionnelle en école de qualification professionnelle et ouvrir de cette manière la voie à une possible carrière professionnelle dans le domaine des arts du sucre. Pour des informations complémentaires, nous sommes volontiers à tout moment à votre entière disposition.

PROGRAMMAZIONE DELLA CARRIERA

Sei anni fa, all'apertura della nostra scuola professionale per l'arte dello zucchero, avevamo la visione di far rivivere un mestiere antico. Il consumo di zucchero era allora 500 kg all'anno. La visione è rimasta, ma il consumo di zucchero è oggi 30'000 kg all'anno con una tendenza al rialzo. Un'arte che non dà da vivere è riuscita a affermarsi. Questo succeso lo dobbiamo a tutti quelle che ci credono e che con tanto impegno si mettono in scena davanti al pubblico.

Dopo l'apertura al pubblico si è presentata ad un tratto la richiesta e si è colmata una lacuna di mercato. Se a Rickenbach, a Nuova Delhi od a Los Angeles, ovunque sarà diverso il bisogno e sta a noi adeguare questo mestiere sul mercato nostrano in modo a ottenerne un buon guadagno. L'esempio più recente ne fornisce una prova netta. Con il gruppo di produzione «Fabilettos» è stato conseguito una cifra d'affari di 40'000 US-$ in soli tre mesi. C'è allora abbastanza sole per tutti. Con l'aiuto di flessibilità, innovazione e creatività questo mestiere magnifico troverà il suo posto sul mercato.

Dal 1° luglio 1997 abbiamo rivalutato la nostra scuola professionale ottenendo lo stato di scuola di qualificazione professionale e abbiamo perciò spianato la strada ad una possibile carriera professionale nell'ambito dell'arte dello zucchero. Per informazioni più dettagliate siamo sempre volentieri a vostra disposizione.

GRUNDAUSBILDUNG
Grund-, Aufbau-, Marketing- und Diplomkurs zu je 3 Tagen
Training zu Hause: 1 Stunde pro Tag

BASIC TRAINING
Basic course, advanced course, marketing course and diploma course, each lasting 3 days.
Training at home: 1 hour per day

FORMATION DE BASE
Cours de base, cours de perfectionnement, cours de marketing et cours de diplôme, de 3 jours chacun
Exercices à la maison: 1 heure par jour

FORMAZIONE DI BASE
Corso di base, corso di perfezionamento, corso di marketing e corso di diploma, tutti a 3 giorni ciascuno.
Esercitazione a casa: 1 ora al giorno

Serienproduktion/Mass production/Production en série/Produzione in serie

1. PRODUKTIONSGRUPPE «FABILETTOS»
Block- oder Tageskurse, 6 Tage
Training zu Hause: 2 Stunden pro Tag
Halbberuflich mit 1'000 bis 5'000 US-$ Umsatz pro Jahr

1. PRODUCTION GROUP «FABILETTOS»
Block or one-day courses, 6 days in all.
Training at home: 2 hours per day
Semiprofessional, with turnover of 1,000 to 5,000 US $ per year

1. GROUPE DE PRODUCTION «FABILETTOS»
Cours en bloc ou par jour, 6 jours
Exercices à la maison: 2 heures par jour
Comme semi-professionnel avec 1000 à 5000 dollars US de chiffre d'affaires par an

1. GRUPPO DI PRODUZIONE «FABILETTOS»
Corsi a blocchi e a giorni, 6 giorni
Esercitazione a casa: 2 ore al giorno
semiprofessionale con tra 1'000 a 5'000 US-$ di cifra d'affari all'anno

Sonderanfertigungen/Special orders/Fabrications spéciales/produzione di tipi speciali

2. PRODUKTIONSGRUPPE «FABILETTOS»
Block- oder Tageskurse, 18 Tage
Training zu Hause: 2 Stunden pro Tag
Halbberuflich mit 5'000 bis 10'000 US-$ Umsatz pro Jahr

PRODUCTION GROUP «FABILETTOS»
Block or one-day courses, 18 days in all.
Training at home: 2 hours per day
Semiprofessional, with turnover of 5,000 to 10,000 US $ per year

2. GROUPE DE PRODUCTION «FABILETTOS»
Cours en bloc ou par jour, 18 jours
Exercices à la maison: 2 heures par jour
Comme semi-professionnel avec 5000 à 10 000 dollars US de chiffre d'affaires par an

2. GRUPPO DI PRODUZIONE «FABILETTOS»
Corsi a blocchi od a giorni, 18 giorni
Esercitazione a casa: 2 ore al giorno semiprofessionale con tra 5'000 a 10'000 US-$ di cifra d'affari all'anno

SELBSTÄNDIGKEIT
Block- oder Tageskurse, 18 Tage
Professionell

WORKING INDEPENDENTLY
Block or one-day courses, 18 days in all
Professional

AUTONOMIE
Cours en bloc ou par jour, 18 jours
Professionnel

AUTONOMIA
Corsi a blocchi od a giorni, 18 giorni
Professionale

1
Unterricht/Teaching/Enseignement/Insegnamento

2
Serienproduktion/Mass production/Production en série/Produzione in serie

3
Sonderanfertigungen/Special orders/Fabrications spéciales/Produzione di tipi speciali
4
Verleih/Hiring/Location/Prestito

5
Show-Artistik/Presentation of sugar art/Art de la présentation/Arte di presentazione

Während drei Jahren bilden wir Sie zum professionellen Zuckerartisten aus und coachen Sie dank einer intensiven internationalen Zusammenarbeit zur Selbständigkeit.

Over a period of three years we will train you to become a professional sugar artist and - thanks to intensive international cooperation - we will guide you along the way to working independently.

Durant trois années, nous vous formons comme artiste du sucre professionnel et vous préparons, grâce à une intense collaboration internationale, à l'autonomie.

Nel corso di tre anni vi prepariamo all'artista professionale dello zucchero, vi assistiamo e vi portiamo all'autonomia, grazie ad un'intensa collaborazione internazionale.

DER SÜSSE WEG ZUM ERFOLG…

…führt Sie jetzt durch noch interessantere Wege.

Wir freuen uns sehr, die erfolgreichen Zuckerartistik-Kurse mit den folgenden attraktiven Themen zu ergänzen:

- Englische Tortendekoration
- Pralinen
- Schokoladen-Figuren

Wir würden uns freuen, Sie auf diesem Weg begleiten zu dürfen.

THE SWEET WAY TO SUCCESS…

…is about to lead you along some even more interesting paths.

It is a great pleasure for us to complement our well-established Sugar Art courses with the exciting new fields of:

- English Cake Decorating
- Pralines
- Chocolate Figures

We would be delighted to accompany you along this way.

LE DOUX CHEMIN VERS LE SUCCÈS…

…vous conduira désormais par des voies encore plus intéressantes.

Nous nous réjouissons vivement de pouvoir compléter les cours des arts du sucre avec les thèmes attractifs ci-après:

- Décoration anglaise de gâteau
- Pralines
- Figurines en chocolat

Nous serions très heureux de pouvoir vous accompagner sur ce chemin.

IL DOLCE CAMMINO VERSO IL SUCCESSO…

…vi conduce ora su delle vie ancora più interessanti.

Siamo lieti di poter completare la nostra offerta di corsi dell'arte dello zucchero con i seguenti argomenti attraenti:

- Decorazione inglese di torte
- Cioccolatini
- Figure di cioccolato

Saremmo molto lieti di potervi accompagnare su questo cammino.

Das top eingerichtete Unterrichtslokal steht den Kursteilnehmern auch abends bis 22.30 Uhr für selbständiges Training zur Verfügung.

Course participants have the opportunity to practise, unsupervised, until 22 h 30 every evening in the well-equipped schoolroom.

La salle de cours très bien équipée est à la disposition des participants le soir jusqu'à 22 h 30 pour l'exercice individuel.

La sala dei corsi, ben attrezzata, è a disposizione dei partecipanti la sera fino alle ore 22.30 per l'esercizio individuale.

Während Ihres Aufenthaltes stehen vier gemütliche Doppelzimmer im Hause bereit.

Make the most of your stay in one of our four comfortable twin-bedded rooms on the premises.

Durant votre séjour, quatre chambres doubles confortables sont à votre disposition dans la maison.

Durante il vostro soggiorno, quattro confortevoli camere doppie saranno a vostra disposizione.

Stufe 1 — GRUNDKURS — 3 Tage

Ein solides Fundament garantiert Erfolg. Investieren Sie drei Tage – und Sie beherrschen die Grundtechniken der Zuckerartistik. Mit einem erfahrenen Lehrer und modernen Werkutensilien wird die Zuckerartistik so einfach gezeigt, dass es richtig Spass macht.

Level 1 — ELEMENTARY COURSE — 3 days

A solid foundation is the key to success. Invest just three days in mastering the basic techniques of sugar art. Thanks to our experience and modern equipment sugar art becomes so simple that learning is fun.

Niveau 1 — COURS DE BASE — 3 jours

Une base solide garantit le succès. Investissez trois jours – et vous possèderez les techniques de base des arts du sucre. Avec un instructeur expérimenté et des ustensiles modernes, les arts du sucre vous seront enseignés de telle manière qu'ils vous enchanteront.

Livello 1 — CORSO DI BASE — 3 giorni

Una base solida garantisce il successo. Investite tre giorni – e sarete padroni delle tecniche di base dell'arte dello zucchero. Con un insegnante esperto e degli utensili moderni imparerete l'arte dello zucchero così semplicemente che sarà un divertimento.

Stufe 2 — PERFEKTIONSKURS — 3 Tage

Im Perfektionskurs trainieren wir weiter und legen dabei besonders Wert darauf, die Grundtechniken zu verfeinern und den Stil zu verbessern.

Level 2 — PERFECTION COURSE — 3 days

Our training programme continues with the Perfection Course, where particular emphasis is laid on refining the basic techniques and improving style.

Niveau 2 — COURS DE PERFECTIONNEMENT — 3 jours

Avec le cours de perfectionnement, nous allons plus loin. Nous veillons spécialement à améliorer les techniques de base et, au-delà, à perfectionner le style.

Livello 2 — CORSI DI PERFEZIONAMENTO — 3 giorni

Nel corso di perfezionamento continueremo ad esercitarci perfezionando le tecniche di base e migliorando lo stile.

Auch anspruchsvolle Handgriffe werden mit partnerschaftlicher Hilfe des Lehrers gemeistert.

Even the most sophisticated techniques are mastered with the teacher's support.

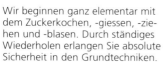
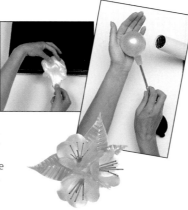

Wir beginnen ganz elementar mit dem Zuckerkochen, -giessen, -ziehen und -blasen. Durch ständiges Wiederholen erlangen Sie absolute Sicherheit in den Grundtechniken.

We start at the very beginning by boiling sugar, casting, pulling and blowing. Continual repetition of the basic techniques ensures that you will gain confidence.

Nous commençons tout au début avec la cuisson du sucre, coulage, tirage et soufflage. Par une reprise permanente des techniques de base, vous acquerrez vraiment l'assurance nécessaire.

Cominciamo all'inizio con la cottura dello zucchero, la colatura, lo stiramento e la soffiatura. Con la continua ripetizione delle tecniche di base otterrete l'assoluta sicurezza.

Der Beweis Ihrer Geschicklichkeit – die ersten Kunstwerke, die Sie selbstverständlich mit nach Hause nehmen.

Prove your skills – with the first works of art, to take home with you, of course!

La preuve de votre savoir-faire – les premiers chefs-d'œuvre que vous emmènerez bien sûr chez vous.

La prova della vostra abilità – le prime opere d'arte che porterete certamente a casa.

Des tours de main exigeants seront surmontés en association et avec l'aide de l'instructeur.

Anche le manipolazioni più esigenti saranno superati con l'aiuto amichevole dell'insegnante.

Die gewonnene Fingerfertigkeit ermöglicht ein rationelleres Arbeiten und effektvollere Werke.

The dexterity you gain will lead to efficient and effective results.

La dextérité ainsi acquise permet un travail plus rationnel avec un effet certain.

La destrezza così ottenuta permette un lavoro più razionale e porta alla realizzazione di opere dal maggiore effetto.

Als Höhepunkt dieses Kurses erarbeiten Sie ein saisonbezogenes Schaustück von ca. 50 cm Höhe.

You will create a seasonal showpiece approx. 50 cm in height as the climax of the course.

Le point culminant de ce cours sera la confection par vous d'une pièce d'exposition de saison d'une hauteur d'environ 50 cm.

Il punto culminante di questo corso sarà la preparazione da parte vostra di un'opera d'arte di stagione dell'altezza di circa 50 cm.

Stufe 3   MARKETINGKURS   3 Tage

Ihre Fähigkeit zu vermarkten, ist eine Kunst für sich. Sie erhalten eine Reihe praktischer Anregungen, wie Sie möglichst gezielt mit dem Zucker umgehen. Drei Tage manuelles Arbeiten gegen die Uhr!
Dieser Kurs kann frühestens zwei Monate nach erfolgreichem Abschluss des Perfektionskurses belegt werden.

Level 3   MARKETING COURSE   3 days

Being able to market your skills is an art in itself. The host of practical tips you receive will lead you to well-directed solutions in the real world. Three days «hands-on» against the clock! The Marketing Course may be attended at the earliest two months after successful completion of the Perfection Course.

Niveau 3   COURS DE MARKETING   3 jours

Commercialiser vos capacités est un art à part: vous acquerrez une série de suggestions pratiques pour apprendre à manier le sucre de manière ponctuelle. Trois jours de travail manuel contre la montre! Le cours de marketing ne pourra être suivi au plus tôt que deux mois après le cours de perfectionnement.

Livello 3   CORSO DI MARKETING   3 giorni

Commercializzare le vostre capacità è un'arte a se. Otterrete una serie di impulsi pratici per imparare a lavorare lo zucchero in maniera finalizzata. Tre giorni di lavoro manuale contro il tempo! Questo corso non può essere frequentato prima di due mesi dopo la conclusione, con successo, del corso di perfezionamento.

Stufe 4   DIPLOMKURS   3 Tage

Die Wünsche Ihrer Kundschaft zu interpretieren und in ein Meisterwerk umzusetzen, bildet das Schwergewicht des Diplomkurses. Vom Entwurf über die Berechnung stellen Sie mehrere Sonderanfertigungen perfekt her.

Level 4   DIPLOMA COURSE   3 days

The emphasis of the Diploma Course lies in interpreting the customer's wishes in the form of a masterpiece. Your task of fulfilling various special orders will include the draft, the price calculation and perfect manual execution.

Niveau 4   COURS DE DIPLÔME   3 jours

Interpréter les désirs de votre clientèle et les transformer en pièce maîtresse forment la priorité du cours de diplôme. De l'ébauche en passant par la calculation à la parfaite exécution, vous confectionnerez diverses fabrications spéciales.

Livello 4   CORSO DI DIPLOMA   3 giorni

I fulcro di questo corso consiste nell'interpretare i desideri dei vostri clienti e di trasformarli in un'opera d'arte. Farete abozzi, calcoli e, per finire, potrete eseguire abilmente vari tipi speciali.

Anhand einer klaren Vorlage gehen sämtliche Wünsche in Erfüllung – und das in einem vernünftigen Zeitrahmen.

Every wish fulfilled – working according to a cleare-cut model – and completing the showpeace in a reasonable amount of time.

D'après un modèle clairement défini, tous les souhaits seront exaucés – et ce dans un laps de temps raisonnable.

Tenendosi ad un modello chiaro si soddisfanno tutti i desideri – e questo in uno spazio di tempo ragionevole.

Dank Ihrer Fingerfertigkeit und raffinierten Tips vom Lehrer werden Sie ein Werbeschaustück nach eigener Vorstellung innert anderthalb Tagen herstellen.

You will realise your own ideas in the form of a promotional show-piece over the following one-and-a-half days, relying not only on the teacher's guidance, but also your own skills.

In den ersten anderthalb Tagen konzentrieren wir uns auf Serienar-tikel nach dem Prinzip: geringer Aufwand – grosser Effekt.

The first one-and-a-half days are devoted to production series along the lines: minimum effort – maxi-mum effect.

Le premier jour et demi, nous nous concentrerons sur les articles de série selon la devise: effort mimimum – effet maximum.

Il primo giorno e mezzo ci concen-triamo sugli articoli di serie seguendo il principio: dispendio minimo – effetto massimo.

Grâce à votre dextérité et aux con-seils judicieux de votre instructeur, vous créerez une pièce d'exposition selon vos propres critères au bout d'un jour et demi.

Grazie alla vostra destrezza di mano ed ai suggerimenti da parte dell'insegnante riuscirete a preparare un oggetto da mostra pubblicitario secondo la vostra immaginazione entro un giorno e mezzo.

Scheuen Sie keinen Aufwand und verwenden Sie sämtliche Techniken und moderne Hilfsmittel. Nur so hat die Zuckerartistik langfristig eine Chance.

Spare no extravagance and make use of all the aids available. This is the only road to success for sugar art in the long-term.

Ne craignez pas l'effort et servez-vous des techniques et moyens auxiliaires modernes. C'est seulement ainsi que l'art du sucre aura sa chance à lon-gue échéance.

Non temete nessun dispendio ed adoperate tutte le tecniche e tutti i mezzi ausiliari moderni. Solo in questo modo l'arte dello zucchero avrà una prospettiva a lungo termine.

BESTELLUNG
ORDER
COMMANDE
ORDINAZIONE

1. ARBEITSGERÄTE / EQUIPMENT / EQUIPEMENT / ATTREZZATURA

Code

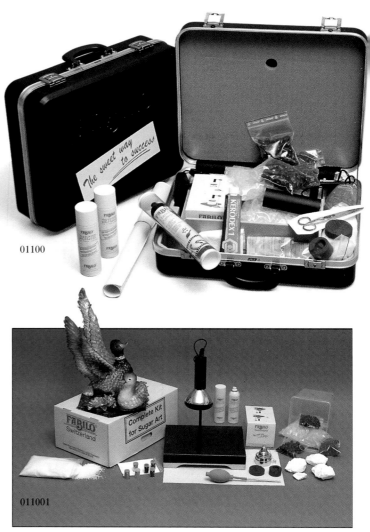

01100

01100   Professionelle Werkausrüstung bestehend aus:
Spezialkoffer, Seidenbett, Lampenständer, Infrarotbirne, Handpumpe schwarz, Schere, Spiritusbrenner, Chrysantheme-Blattstempel, Gesichtsform Dawn + Larrie, Handschutzcrème 1, 4 x 6 g Lebensmittelfarben (blau, gelb, rot, schwarz), 50 g weisse Lebensmittelfarbe, 8 g Gold- und Silberbronze, 5 kg Artistikmasse, 1 kg Perlen, 500 g Silicagel blau, 2 Dosen Artistiklack, Giessmatte 50 cm x 50 cm

01100   Professional kit consisting of:
Special case, silk board, lamp stand, infra-red bulb, black hand pump, scissors, methylated spirits burner, chrysanthemum leaf stamp, face mould Dawn + Larrie, hand-protection cream 1, 4 x 6 g food colourings (blue, yellow, red, black), 50 g white food colouring, 8 g gold and silver dust, 5 kg Artistik mass, 1 kg pearls, 500 g silicagel blue, 2 cans Artistik lacquer, casting mat 50 cm x 50 cm

01100   Equipement professionnel comprenant:
Coffret spécial, dessus en soie, lampadaire, ampoule à infrarouge, pompe à main noir, ciseaux, lampe à alcool, empreinte à feuille chrysanthème, moule à visage Dawn + Larrie, crème protège-mains I, 4 x 6 g colorants alimentaires (bleu, jaune, rouge, noir), 50 g colorant alimentaire blanc, 8 g bronze d'or et d'argent, 5 kg masse Artistik, 1 kg perles, 500 g silicagel bleu, 2 sprays laque Artistik, toile antiadhésive 50 cm x 50 cm

01100   Attrezzatura professionale costituita da:
Valigietta speciale, base di seta, stelo per lampada, lampadina a raggi infrarossi, pompa a mano nera, forbici, lampada a spirito, stampino a foglia di crisantemo, forme per visi Dawn + Larrie, crema protettiva per le mani, 1, 4 x 6 g di colore alimentare (blu, giallo, rosso, nero), 50 g di colore alimentare bianco, 8 g di bronzo dorato ed argentato, 5 kg di massa Artistik, 1 kg di perle, 500 g di Silicagel blu, 2 spray di lacca Artistik, tela antiadesiva 50 cm x 50 cm.

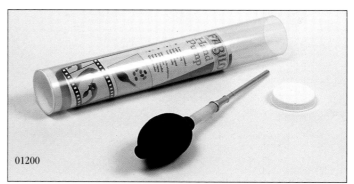

011001

011001   Komplette Werkausrüstung bestehend aus:
Hartkarton-Schachtel, Seidenbett, Lampenständer, Infrarotbirne, Handpumpe blau, Spiritusbrenner, Chrysantheme-Blattstempel, Gesichtsform Dawn + Larrie, 4 x 6 g Lebensmittelfarben (blau, gelb, rot, schwarz), 50 g weisse Lebensmittelfarbe, 8 g Gold- und Silberbronze, 2 kg Artistikmasse, 1 kg Perlen, 1 kg ungelöschter Kalk, 2 Dosen Artistik Lack, Giessmatte 32 cm x 50 cm

011001   Complete kit consisting of:
Strong cardboard box, silk board, lamp stand, infra-red bulb, blue hand pump, methylated spirits burner, chrysanthemum leaf stamp, face mould Dawn + Larrie, 4 x 6 g food colourings (blue, yellow, red, black), 50 g white food colouring, 8 g gold and silver dust, 2 kg Artistik mass, 1 kg pearls, 1 kg quicklime, 2 cans Artistik lacquer, casting mat 32 cm x 50 cm

011001   Equipement complet comprenant:
Boîte en carton, dessus en soie, lampadaire, ampoule à infrarouge, pompe à main bleu, lampe à alcool, empreinte à feuille chrysanthème, moule à visage Dawn + Larrie, 4 x 6 g colorants alimentaires (bleu, jaune, rouge, noir), 50 g colorant alimentaire blanc, 8 g bronze d'or et d'argent, 2 kg masse Artistik, 1 kg perles, 1 kg chaux vive, 2 sprays laque Artistik, toile antiadhésive 32 cm x 50 cm

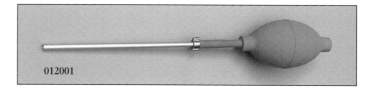

01200

011001   Atrezzatura completa costituita da:
Scatola di cartoncino, base di seta, stelo per lampada, lampadina a raggi infrarossi, pompa a mano blu, lampada a spirito, stampino a foglia di crisantemo, forme per visi Dawn + Larrie, 4 x 6 g di colore alimentare (blu, giallo, rosso, nero), 50 g di colore alimentare bianco, 8 g di bronzo dorato ed argentato 2 kg di massa Artistik, 1 kg di perle, 1 kg di calce viva, 2 spray di lacca Artistik, tela antiadesiva 32 cm x 50 cm.

012001

011002   Wärmestation bestehend aus:
Seidenbett, Lampenständer, Infrarotbirne

011002   Heating station consisting of:
Silk board, lamp stand, infra-red bulb

011002   Station de chauffage comprenant:
Dessus en soie, lampadaire, ampoule à infrarouge

011002   Stazione di riscaldamento costituita da:
Base di seta, stelo per lampada, lampadina a raggi infrarossi

01300

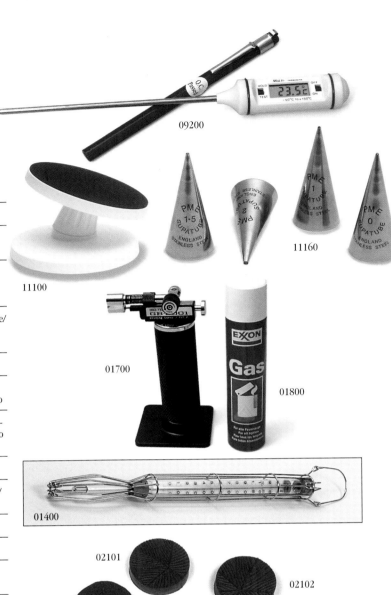

09200

011003	Seidenbett/Silk board/Dessus en soie/Base di seta
011004	Lampenständer/Lamp stand/Lampadaire/Stelo per lampada
011005	Infrarotbirne/Infra-red bulb/Ampoule à infrarouge/Lampadina a raggi infrarossi
01200	Handpumpe(schwarz) mit Metallkanüle /Hand pump (black) with metal tube/ Pompe à main (noir) avec canule en métal / Pompa a mano con cannula di metallo nera
012001	Handpumpe (blau) mit Metallkanüle /Hand pump (blue) with metal tube/ Pompe à main (bleu) avec canule en métal / Pompa a mano con cannula di metallo blu
01300	Spiritusbrenner/Methylated spirits burner/Lampe à alcool/ Lampada a spirito
01400	Thermometer im Drahtkorb/Thermometer in wire cage/Thermomètre dans une corbeille en fil métallique/Termometro in un cesto di fil di ferro
09200	Thermometer mit Digitalanzeige -50 bis +150 °C/Thermometer with digital display -50 to +150°C/Thermomètre digital - 50 à +150 °C/Termometro digitale da - 50° a +150°
01500	Fön Solis/Solis hairdryer/Sèche-cheveux Solis/Asciugacapelli Solis
11100	Verstellbarer Drehteller/Adjustable turntable/Assiette tournante réglable/ Piatto girevole regolabile
11160	4 Tüllen/4 nozzles/4 douilles /4 beccucci
01600	Giessmatte /Casting mat/Toile antiadhésive/Tela antiadesiva 50x50 cm
01700	Micro-Torch 2001/Micro torch 2001/Microtorche 2001/Micro-Torch 2001
01800	Micro-Torch Gas-Ersatzflasche 100 ml/Micro torch refill gas 100 ml/ Microtorche bombe de remplacement 100 ml/Bombola di gas di ricambio per Micro-Torch 100 ml

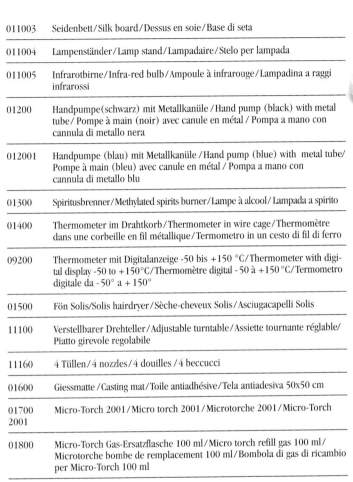

11160

11100

01700

01800

01400

2. SILIKON-KAUTSCHUK STEMPEL/SILICONE RUBBER STAMPS/ EMPREINTES EN SILICONE/STAMPINI DI SILICONE-CAUCCIU

02100	Chrysantheme-Blattstempel/Chrysanthemum leaf stamp/Empreinte à chrysanthème/Stampino a foglia di crisantemo
02101	Erdbeer-Blattstempel/Strawberry leaf stamp/Empreinte à fraise/ Stampino a foglia di fragola
02102	Efeu-Blattstempel/Ivy leaf stamp/Empreinte à lierre/Stampino a foglia di edera
02103	Herbst-Blattstempel/Autumn leaf stamp/Empreinte d'automne/ Stampino a foglia autunnale
02110	Crazy punktierter Stempel/Crazy dotted stamp/Crazy empreinte pointillée/ Stampino punteggiato crazy

02101

02102

02110

02103

02100

SILIKON-KAUTSCHUK GESICHTSFORMEN/SILICONE RUBBER FACE MOULDS/ MOULES À VISAGE/FORME PER VISI DI SILICONE-CAUCCIU

02220	Blanky + Konny	20–25 cm
02221	Dawn + Larrie	25–30 cm
02222	Bobby + Chef	30–35 cm
02223	Hell + Glory	30–35 cm
02224	Jappy + Scot	35–40 cm
02225	Dame + Coco	35–40 cm
02226	Sally + Brit	35–40 cm
02227	Hook + Santa	40–45 cm

02220

02222

02221

02223

02224

02225

02226

02227

SILIKON-KAUTSCHUK FLÜSSIG/LIQUID SILICONE RUBBER/
SILICONE EN LIQUIDE/SILICONE-CAUCCIU LIQUIDO

02300   5 kg Dose inkl. Vulkanisator/5 kg tin incl. vulcaniser/Boîte 5 kg y compris
         vulcanisateur/Barattolo di 5 kg vulcanizzatore compreso

02301   1 kg Dose inkl. Vulkanisator/1 kg tin incl. vulcaniser/Boîte 1 kg y compris
         vulcanisateur/Barattolo di 1 kg vulcanizzatore compreso

HITZEBESTÄNDIGE GIESSFORMEN/HEAT-RESISTANT CASTING MOULDS/
MOULES RÉSISTANT À LA CHALEUR/ FORME RESISTENTI AL CALORE

02400   Engel mit Flöte/Cherub with flute/Ange avec flûte/Angelo con flauto
02401   Engel mit Harfe/Cherub with harp/Ange avec harpe/Angelo con arpa
02402   Engel mit Gitarre/Cherub with guitar/Ange avec guitare/Angelo con chitarra
02403   Engel mit Geige/Cherub with violin/Ange avec violon/Angelo con violino
02404   Engel/Cherub/Ange/Angelo
024041   Hase/Rabbit/Lièvre/Lepre
024042   Bär/Bear/Ours/Orso
024043   Eichhörnchen/Squirrel/Ecureuil/Scoiattolo
024044   Schwein/Pig/Cochon/Maiale
024045   Katze/Cat/Chat/Gatto
024046   Vogel/Bird/Oiseau/Uccello
024047   Baby/Baby/Bébé/Bebè

GLANZ-STAUB /PEARL DUST/POUDRE BRILLANTE/ POLVERE LUCIDA

02500   Orange Glanz-Staub 1,5 g Orange pearl dust, 1.5 g/
         Poudre brillante orange 1,5 g / Polvere lucida arancione 1,5 g

02501   Super Glanz-Staub 1,5 g / Super pearl dust, 1.5 g/
         Superpoudre brillante 1,5 g / Polvere Super lucida 1,5 g

3. PRÄSENTATIONSGLASSTÜRZE MIT HOLZUNTERSATZ/
PRESENTATION GLASS DOMES WITH WOODEN BASE/
CLOCHES DE PRÉSENTATION EN VERRE AVEC BASE EN BOIS/
CAMPANE DI VETRO PER LA PRESENTAZIONE CON BASE DI LEGNO

03100   Klein/Small/Petite/Piccola   80 x 135 mm
03101   Mittel/Medium/Moyenne/Media   105 x 180 mm
03102   Gross/Large/Grande/Grande   142 x 257 mm
03103   Super/Super/Super/Super   190 x 390 mm
03104   Oval/Oval/Ovale/Ovale   180 x 95 x 185 mm

4. PRÄSENTATIONSVITRINEN MIT BODEN AUS PLEXIGLAS/
SHOWCASES WITH PLEXIGLASS BASE/ VITRINES DE PRÉSENTATION AVEC
FOND EN PLEXIGLAS/VETRINE PER PRESENTAZIONE CON BASE DI
PLEXIGLAS

04100   Hoch/Upright/Haute/Alta   400 x 400 x 500 mm
041005   Mini-Hoch/Mini-upright/Minihaute/Mini-alta   300 x 300 x 500 mm
04101   Lang/Long/Longue/Larga   500 x 400 x 400 mm
041015   Mini-Lang/Mini-long/Minilongue/Mini-lunga   500 x 300 x 300 mm
04102   Sechseckig/Hexagonal/Hexagonale/Esagonale   346 x 500 mm
04105   Pyramide/Pyramid/Pyramidale/Piramide   500 x 500 x 690 mm

04106   Vitrinen-Set hoch,
         3 Stück 500 x 400 x 400 + 400 x 300 x 300 + 300 x 200 x 200 mm
         Set of 3 upright showcases
         Set de vitrines hautes, 3 pièces
         Set di vetrine alte, 3 pezzi

04107   Vitrinen-Set lang,
         3 Stück 400 x 400 x 500 + 300 x 300 x 400 + 200 x 200 x 300 mm
         Set of 3 long showcases
         Set de vitrines longues, 3 pièces
         Set di vetrine larghe, 3 pezzi

02301

02300

02400-02404

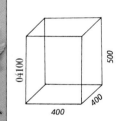

04100

500

400

400

024041-024047

041005

500

300

300

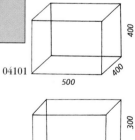

04101

400

400

500

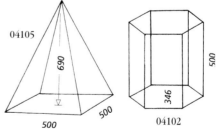

04105

690

500

500

500

346

04102

041015

300

300

500

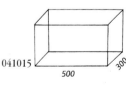

03100   03102   03104   03103   03101

5. VERBRAUCHSMATERIALIEN/EXPENDABLE ITEMS/MATÉRIEL/ MATERIALE

05100

05100   Weinsteinsäure aufgelöst, 75 ml mit Pipette
        Tartaric acid dissolved, 75 ml with pipette
        Acide tartrique dissous, 75 ml, avec pipette
        Acido tartarico dissoluto, 75 ml, con pipetta

05101   Schlämmkreide, 100 g/Whitening, 100 g/Carbonate de calcium (blanc
        d'Espagne), 100 g/Carbonato di calcio (bianco di Spagna), 100 g

05102   Handschutzcrème 1/Hand protection cream 1/
        Crème protège-mains 1 /Crema protettiva per le mani 1

05103   Handschweisshemmende Crème 16/Anti-perspirant hand cream 16/
        Crème antitranspiration pour les mains 16/
        Crema antidiafaretica per le mani 16

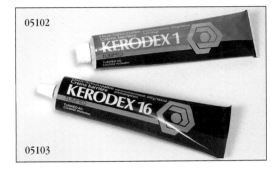

05102

05103

051041 1 Paar Schutzhandschuhe Grösse 7
        1 pair of protective gloves size 7
        1 paire de gants protecteurs grandeur 7
        1 paio di guanti protettivi per le mani taglia 7

051042 1 Paar Schutzhandschuhe Grösse 8
        1 pair of protective gloves size 8
        1 paire de gants protecteurs grandeur 8
        1 paio di guanti protettivi per le mani taglia 8

051041-051053

051043 1 Paar Schutzhandschuhe Grösse 9
        1 pair of protective gloves size 9
        1 paire de gants protecteurs grandeur 9
        1 paio di guanti protettivi per le mani taglia 9

051044 1 Paar Schutzhandschuhe Grösse 10
        1 pair of protective gloves size 10
        1 paire de gants protecteurs grandeur 10
        1 paio di guanti protettivi per le mani taglia 10

05106

05107

051051 100 Einweghandschuhe Grösse 7-8 (S)
        100 disposable gloves size 7-8 (S)
        100 gants unidirectionnels grandeur 7-8 (S)
        100 guanti monouso taglia 7-8 (S)

051052 100 Einweghandschuhe Grösse 8-9 (M)
        100 disposable gloves size 8-9 (M)
        100 gants unidirectionnels grandeur 8-9 (M)
        100 guanti monouso taglia 8-9 (M)

051053 100 Einweghandschuhe Grösse 9-10 (L)
        100 disposable gloves size 9-10 (L)
        100 gants unidirectionnels grandeur 9-10 (L)
        100 guanti monouso taglia 9-10 (L)

ENTFEUCHTUNGS-HILFSMITTEL/DEHUMIDIFYING AGENTS/MOYENS DE DÉSHUMIDIFICATION/MEZZI PER DEUMIDIFICARE

05106   5 kg ungelöschter Kalk/5 kg quicklime/Chaux vive, 5 kg/5 kg di calce viva

051065 10 kg ungelöschter Kalk/10 kg quicklime/Chaux vive, 10 kg/
        10 kg di calce viva

05107   500 g Silicagel blau/500 g Silicagel blue/Silicagel bleu, 500 g/
        500 g di Silicagel blu

051075 1 kg Silicagel blau/1 kg Silicagel blue/Silicagel bleu, 1 kg/
        1 kg di Silicagel blu

051076 Luftentfeuchter Fabilo, 30-95%, 200 W, 140 m³/h, 320 x 520 x 380 mm
        Fabilo air dehumidifier, 30-95%, 200 W, 140 m³/h, 320 x 520 x 380 mm
        Déshumidificateur Fabilo, 30-95%, 200 W, 140 m³/h, 320 x 520 x 380 mm
        Deumificatore Fabilo, 30-95%, 200 W, 140 m³/h, 320 x 520 x 380 mm

051076

GIESS-HILFSMITTEL/CASTING EQUIPMENT/MOYENS DE COULAGE/ MEZZI PER LA COLATURA

05108   500 g Plastilin/500 g plasticine/Plastiline, 500 g/500 g di plastilina

051085   1 kg Plastilin/1 kg plasticine/Plastiline, 1 kg/1 kg di plastilina

051086   Nitrilplatte, lebensmittelfreundlich, 5 mm, 600 x 300 mm
Nitrile plate, suitable for foodstuffs, 5 mm, 600 x 300 mm
Plat de nitril, favorable à l'alimentation, 5 mm, 600 x 300 mm
Lastra di nitrile, adatta per alimentari, 5 mm, 600 x 300 mm

051086

051087   4 Metallstäbe, nichtklebend, sandgestrahlt, 10 x 500 mm
4 metal rods, non-stick, sand-blasted, 10 x 500 mm
4 baguettes en métal, non adhésives, sablées, 10 x 500 mm
4 bacchette di metallo, non adesive, sabbiate, 10 x 500mm

051088   6 Metallstäbe, nichtklebend, sandgestrahlt, abgeschrägt, 10 x 150 mm
6 metal rods, non-stick, sand-blasted, oblique, 10 x 150 mm
6 baguettes en métal, non adhésives, sablées, recourbées,
10 x 150 mm
6 bacchette di metallo, non adesive, sabbiate, tagliate obliquamente,
10 x 150 mm

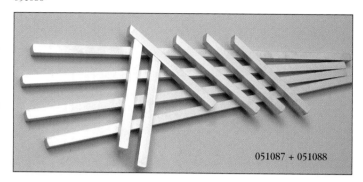

051087 + 051088

6. ZUM FÄRBEN UND SPRITZEN/FOR COLOURING AND AIRBRUSHING/ POUR COLORER ET PULVÉRISER/PER COLORARE E VERNICIARE A SPRUZZO

06109   4 x 6 g Lebensmittelfarben (blau, gelb, rot, schwarz)
4 x 6 g food colouring (blue, yellow, red, black)
4 x 6 g colorants alimentaires (bleu, jaune, rouge, noir)
4 x 6 g di colori alimentari (blu, giallo, rosso, nero)

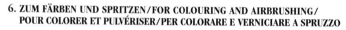

06110   8 g Gold- und Silberbronze/8 g gold and silver dust/
8 g bronze d'or et d'argent/8 g di bronzo dorato ed argentato

06109

061115   100 g Lebensmittelfarbe (weiss)/100 g food colouring (white)/
100 g colorant alimentaire (blanc)/100 g di colore alimentare (bianco)

06200   Airbrush mit Druckflasche, 250 g/Airbrush with air can, 250 g/Airbrush
avec bombe, 250 g/Airbrush con bombola di aria compressa, 250 g

06201   Ersatz-Druckflasche, 500 g/Spare air can, 500 g/Bombe de remplacement,
500 g/Bombola di aria compressa di ricambio, 500 g

062015   Übergangsstück Airbrush-Kompressor/Connecting piece for air
compressor/Airbrush compresseur (pièce de communication)/
Pezzo di raccordo tra airbrush e compressore

06110

062305

06300   1 Dose Artistik Lack/1 aerosol can Artistik lacquer/1 spray laque Artistik/
1 barattolo di lacca Artistik

06305   2 Dosen Artistik Lack/2 aerosol cans Artistik lacquer/
2 sprays laque Artistik/2 barattoli di lacca Artistik

06310   3 Dosen Artistik Lack/3 aerosol cans Artistik lacquer/3 sprays laque
Artistik/3 barattoli di lacca Artistik

061115

7. ARTISTIKMASSE UND PERLEN/ARTISTIK MASS AND PEARLS/ MASSE ARTISTIK ET PERLES/MASSA ARTISTIK E PERLE

07100   Pro/per/le/al 1 kg Weiss/White/Blanc/Bianco

071001   Pro/per/le/al 1 kg Gelb/Yellow/Jaune/Giallo

071002   Pro/per/le/al 1 kg Rot/Red/Rouge/Rosso

071003   Pro/per/le/al 1 kg Blau/Blue/Bleu/Blu

071004   Pro/per/le/al 1 kg Schwarz/Black/Noir/Nero

07101   5 kg gemischt/5 kg mixed/5 kg mélangé/5 kg misti

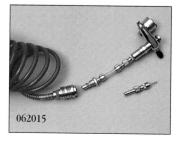

062015

06200   06201

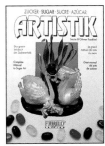

08100

08101

08102

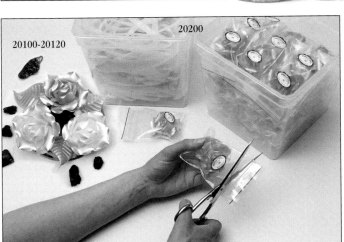

07101

07200

07205

07206

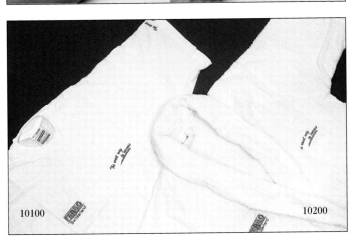

20100-20120

20200

10100

10200

07200	5 kg Perlen/5 kg pearls/5 kg perles/ 5 kg di perle
07201	10 kg Perlen/10 kg pearls/ 10 kg perles/10 kg di perle
07205	Zuckerhut, 6 kg/Sugar loaf, 6 kg/Sucre en pain, 6 kg /Pan di zucchero 6 kg
07206	Zuckerhut, 250 g/Sugar loaf, 250 g/Sucre en pain, 250 g/Pan di zucchero 250 g

8. BÜCHER/BOOKS/LIVRES/LIBRI

08100	Das grosse Lehrbuch der Zuckerartistik (D, E, F, S) The Complete Manual to Sugar Art (D, E, F, S) Le grand manuel des arts du sucre (D, E, F, S) Il grande manuale dell'arte di zucchero (D, E, F, S)
08101	Das grosse Lehrbuch der Zuckerartistik für Fortgeschrittene (D, E, F, I) The Complete Manual to Sugar Art for Advanced Students (D, E, F, I) Le grand manuel des arts du sucre pour avancés (D, E, F, I) Il grande manuale dell'Arte dello Zucchero per non principianti (D, E, F, I)
08102	Das grosse Lehrbuch der Gemüse- und Früchteschnitzerei (D, E, F, I) The Complete Manual to Vegetable and Fruit Carving (G, E, F, I) Le grand manuel de la sculpture des légumes et des fruits (D, E, F, I) Il gran manuale dell'intaglio di verdura e frutta (D, E, F, I)

9. HANDGEZOGENE ZUCKERROSEN UND BLÄTTER/HAND-PULLED SUGAR ROSES AND LEAVES/ROSES EN SUCRE ET FEUILLES TIRÉES À LA MAIN/ ROSE E FOGLIE DI ZUCCHERO TIRATE A MANO

20100	Rosen, rosa/Roses, pink/Roses, rose/Rose, rosa
20110	Rosen, lemon/Roses, yellow/Roses, lemon/Rose, giallo limone
20120	Rosen, perlweiss/Roses, pearl white/Roses, blanc perle/Rose, bianco perla
20200	Blätter/Leaves/Feuilles/Foglie

10. FABILO ACCESSOIRES/FABILO ACCESSORIES/ACCESSOIRES FABILO/ ACCESSORI FABILO

10100	Fabilo T-Shirt (XL)/ Fabilo T-Shirt (XL)/T-shirt Fabilo (XL)/T-Shirt Fabilo (XL)
10200	Fabilo Bademantel/Fabilo bath robe/Peignoir de bain Fabilo/Accappatoio Fabilo

Bestellen bei:
Send your order to:
A commander chez:
Da ordinare presso:

FABILO®
EDITION

Louise & Othmar Fassbind
Sonnenrain 2
CH-6221 Rickenbach bei Luzern
Switzerland
Tel.(41-41) 930 15 75
Fax (41-41) 930 36 63
Internet:http://www.fabilo.ch
E-Mail: fassbind @fabilo.ch

Fabilo Deutschland
Süss-Deko
Herr Joachim Habiger
Goethestrasse 42
D-70736 Fellbach
Tel. 0711 51 65 30
Fax 0711 51 65 30

Fabilo Österreich
Zuckerbrücke
Herr Ad Bruggemann
Sillufer 9
A-6020 Innsbruck
Tel. 0512 36 00 56
Fax 0512 36 00 56

Fabilo Finnland
Suomen Sokeritaide
Herr Petri Nieminen
Raatihuoneenkatu 8
Fin-13100 Hämeenlinna
Tel. 040 50 61 888
Fax 036 12 18 59

AUS DER GLEICHEN KÜCHE

Mit den vorliegenden Lehrbüchern möchten wir dem kreativen Handwerk in der Konditorei und Gastrobranche zu einem neuen Stellenwert verhelfen. Wir sind überzeugt, mit den zwei Werken für Sie unentbehrliche Arbeitsinstrumente und Nachschlagewerke geschaffen zu haben und wünschen Ihnen viel Freude und Anerkennung beim Umsetzen Ihrer Ideen.

FROM THE SAME KITCHEN

These manuals are our contribution to an exciting revival of creative art in the field of confectionery and gastronomy. We are convinced that these two books will become your indispensable tools and learning aids. We sincerely hope that your creative work will bring you many hours of pleasure, as well as admiration.

DE LA MÊME CUISINE

Avec les manuels présentés, nous voudrions donner une nouvelle chance à ce métier créatif de la branche confiserie et gastronomie. Nous sommes convaincus qu'avec les deux ouvrages, nous avons réalisé des instruments de travail et de référence incontournables et vous souhaitons beaucoup de joie et de reconnaissance dans la réalisation de vos idées.

DALLA STESSA CUCINA

Con i presenti manuali vorremmo dare una nuova importanza a questo mestiere creativo nell'ambito della pasticceria e della gastronomia. Siamo convinti di aver realizzato con queste due opere degli indispensabili strumenti di lavoro ed opere di consultazione ed in questo senso vi auguriamo tanta gioia e riconoscimento nella realizzazione delle vostre idee.

DAS GROSSE LEHRBUCH DER GEMÜSE- UND FRÜCHTE-SCHNITZEREI

Mehr als 500 Schritt-für-Schritt-Fotos und zahlreiche Illustrationen auf 200 Seiten dienen als Übungsvorlage und erleichtern das Anfertigen der vorgestellten Schaustücke. Aufgebaut in 26 Lektionen, durchgehend farbig bebildert, Deutsch - Englisch - Französisch - Italienisch, Schutzumschlag, Format 21 x 30 cm.

THE COMPLETE MANUAL TO VEGETABLE AND FRUIT CARVING

Over 500 step-by-step photos and countless illustrations on 200 pages serve as practical exercises and assist you in the creation of the showpieces presented. There are 26 lessons, all illustrated in colour, German - English - French - Italian, dust jacket, format 21 x 30 cm.

LE GRAND MANUEL DE LA SCULPTURE DES LÉGUMES ET DES FRUITS

Plus de 500 photos au pas à pas et de nombreuses illustrations sur 200 pages servent de modèles d'exercices et facilitent la réalisations des pièces présentées. Structuré en 26 leçons, tout en couleurs, allemand, anglais, français, italien, couverture de protection, format 21 x 30 cm.

IL GRANDE MANUALE DELL' INTAGLIO DI FRUTTA E VERDURA

Più di 500 foto «passo dopo passo» ed innumerevoli illustrazioni su 200 pagine servono come modelli di esercizio e facilitano la riproduzione degli oggetti presentati. Suddiviso in 26 lezioni, tutte a colori, tedesco - inglese - francese - italiano, copertina salvalibri, formato 21 x 30 cm.

Didaktisch einwandfrei
Didactically impeccable
Irréprochable didactiquement
Didatticamente incensurabile

Über 500 Schritt-für-Schritt-Aufnahmen
Over 500 step-by-step photos
Plus de 500 prises de vue au pas à pas
Più di 500 foto "passo dopo passo"

Viele raffinierte Tips und Tricks
A lot of sophisticated tips and tricks
Nombreux tuyaux et trucs raffinés
Numerosi suggerimenti e trucchi raffinati

ZUCKER · SUGAR · SUCRE · AZÚCAR

ARTISTIK

Louise & Othmar Fassbind

Das grosse
Lehrbuch
der Zuckerartistik

Complete
Manual
to Sugar Art

Le grand
manuel des arts
du sucre

Gran manual
del arte
de azúcar

FABILO
EDITION

DAS GROSSE LEHRBUCH DER ZUCKERARTISTIK, 2. AUFLAGE

In 20 Lektionen gegliedert, finden Sie hier alles über Zuckerartistik - von der Geschichte des Zuckers bis zu modernen Herstellungstechniken filigraner Kunstwerke. Neben den traditionellen Grundtechniken erfahren Sie viele raffinierte Tips und Tricks, um Ihr Schaustück einwandfrei und rationell herzustellen. Mehr als 650 Schritt-für-Schritt-Fotos und zahlreiche Illustrationen auf 200 Seiten dienen als Übungsvorlagen und erleichtern das Anfertigen der vorgestellten Schaustücke. Durchgehend farbig bebildert, Deutsch - Englisch - Französisch - Spanisch, Schutzumschlag, Format 21 x 30 cm.

COMPLETE MANUAL TO SUGAR ART, 2ND. EDITION

Everything you ever wanted to know about Sugar Art in 20 lessons - from the history of sugar to modern techniques of how to produce these filigree works of art. Alongside the traditional basic techniques you will discover numerous tips and tricks to quickly produce perfect works of art. Over 650 step-by-step photos and countless illustrations on 200 pages serve as practical exercises and assist you in producing the showpieces presented. All-colour throughout, English - German - French - Spanish, dust jacket, format 21 x 30 cm.

LE GRAND MANUEL DES ARTS DU SUCRE, 2ᴱ ÉDITION

Réparti en 20 leçons, vous trouverez ici tout sur les arts du sucre – de l'histoire du sucre aux techniques modernes de fabrication d'œuvres d'art filigranés. Outre les techniques de base traditionnelles, vous apprendrez, par des tuyaux et des trucs, à monter votre pièce de manière irréprochable et rationnelle. Plus de 650 prises de vue au pas à pas et de nombreuses illustrations sur 200 pages servent de modèles

d'exercice et facilitent la reproduction des pièces présentées. Toutes les illustrations en couleurs, français - allemand - anglais - espagnol, couverture de protection, format 21 x 30 cm.

IL GRANDE MANUALE DELL'ARTE DELLO ZUCCHERO, 2° EDIZIONE

In questo manuale troverete tutto sull'arte dello zucchero – dalla storia dello zucchero fino alle tecniche moderne per la realizzazione di opere d'arte filigrane. Oltre alle tradizionali tecniche di base imparerete tramite tanti suggerimenti e trucchi a costruire il vostro oggetto da mostra in maniera ineccepibile e razionale. Più di 650 foto «passo dopo passo» e innumerevoli illustrazioni su 200 pagine servono come modelli di esercizio e facilitano la riproduzione degli oggetti presentati. Tutte le illustrazioni a colori, tedesco - inglese - francese - spagnolo, copertina salvalibri, formato 21 x 30 cm.

Über 650
Schritt-für-
Schritt-
Aufnahmen
Over 650
step-by-step
photos
Plus de 650 prises
de vue au
pas à pas
Più di 650 foto
«passo dopo passo»

Unzählige wertvolle
Ratschläge
A wealth of useful tips
Conseils précieux
innombrables
Innumerevoli consigli
preziosi

Produktionshinweise,
der süsse Weg
zum Erfolg
Reference key,
the sweet way
to success
Indication de
production,
le doux chemin
vers le succès
Indicazioni sulla
produzione,
il dolce cammino
verso il successo

HERZLICHEN DANK!

Eine Vision zu haben, sie verständlich zu machen und erfolgreich umzusetzen, wäre für eine Einzelperson kaum realisierbar. Nebst einem professionellen und versierten Team braucht es ein verständnisvolles familiäres Umfeld. In diesem Sinne:

SINCERE THANKS!

It is virtually impossible for one person alone to have a concept, get the message across and convert it into a success. Not only do you need a professional, experienced team – you must also be supported by an understanding family. On this note:

REMERCIEMENTS CORDIAUX!

Avoir une vision, la rendre intelligible et la transformer en succès est, pour une seule personne, quasiment impossible. A côté d'une équipe experte et professionnelle, il faut un environnement compréhensif et familier. Dans cet esprit:

GRAZIE DI CUORE!

Per un individuo singolo sarebbe quasi impossibile avere una visione, renderla comprensibile e realizzarla con successo. Oltre al team professionale ed esperto ci vuole allora un ambiente comprensivo e famigliare. In questo senso:

Herzlichen Dank an:
Sincere thanks to:
Remerciements cordiaux à:
Ringraziamo molto:

Louise, Rachel, Alistair Fassbind	Sie verkörpern den Kraftstoff für den Motor. They represent the fuel for the motor. Ils incarnent l'énergie pour le moteur. Rappresentano l'energia per il motore.
Hannes Opitz	Er versteht unsere Vision und stellt sie grafisch in den Mittelpunkt. He understands our concept and puts it at the centre of his graphics. Il comprend notre vision et la place graphiquement au centre. Riesce ad intendere la nostra visione e la colloca graficamente al centro.
Othmar Baumli	Ein Fotograph, der weiss, wie der Nachwuchs zu fördern ist. A photographer who knows how to encourage the next generation. Un photographe qui sait comment motiver la jeune génération. Un fotografo che sa come formare le giovani leve.
Jenifer Horlent Sandra Zindel Walter Portmann Georges Billig	Verständliche Texte, korrekte Übersetzungen und Lektorat, für ein Lehrbuch von grösster Wichtigkeit. Easy-to-understand texts, correct translations and proof-reading are very important for a manual. Des textes intelligibles, des traductions correctes ainsi que la relecture sont très importants pour un manuel. Testi comprensibili, traduzioni corrette e consulenza sono di massima importanza per un manuale.

Die unzähligen Personen, die uns in den letzten 12 Monaten intensiv unterstützt haben und einen wesentlichen Beitrag zum guten Gelingen dieses Werkes beigetragen haben.
The many people who have lent us intensive support during the past 12 months and have made an important contribution to the success of this work.
Les innombrables personnes qui nous ont intensivement soutenus ces 12 derniers mois et ont de ce fait pris une part non négligeable à la réussite de cet ouvrage.
Le innumerevoli persone che ci hanno sostenuti intensamente negli ultimi 12 mese e che hanno contribuito notevolmente ad un buon esito di questa opera.

Einen speziellen Dank an:
And a special thank you to:
Remerciements tout spéciaux à:
Ringraziamo specialmente:

Rachel Fassbind Alistair Fassbind

Die zwei Sonnenstrahlen, denen wir dieses Lehrbuch von Herzen widmen.
Our two sunbeams, to whom this book is dedicated with love.
Les deux rayons de soleil à qui nous dédions de tout cœur ce manuel.
I due raggi di sole ai quali, con tutto il cuore, dedichiamoquesto manuale.